세종
한국어

1A

문화체육관광부
국립국어원

발간사

최근 전 세계인이 접하는 한류 콘텐츠의 규모가 늘어나면서 한류 문화가 확산되고 있고, 그 결과로 한국어를 배우고자 하는 외국인 학습자의 기세가 매우 놀랍습니다. 세계 곳곳이 코로나19로 침체기를 겪던 2021년에도 한국어능력시험 응시자는 30만 명을 훌쩍 넘었으며, 문화체육관광부의 세종학당은 2007년 13곳에서 2022년에는 84개국 244개소로 증가하였습니다. 이러한 한류의 지속적인 확산을 뒷받침하기 위해서는 한국어교육의 탄탄한 지원이 필요합니다.

한류 콘텐츠와 함께 성장하는 한국어교육의 토대를 다지기 위해, 문화체육관광부와 국립국어원은 2011년 처음 발간된 《세종한국어》를 새로 다듬기로 하였습니다. 2019년부터 기초 연구를 시작한 교재 개정 작업은 3년의 시간을 들여, 2022년 드디어 새로운 《세종한국어》를 펴내게 되었고, 이를 세종학당재단과 함께 알리게 되었습니다.

새롭게 개정된 《세종한국어》는 첫째, 세종학당 곳곳에서 한국어를 배우고자 하는 열의로 가득 찬 외국인 학습자 중심의 교재를 지향하였습니다. 둘째, 현지 세종학당의 학습 환경에 따라 유연하게 활용할 수 있는 맞춤형 교재로 정비되었습니다. 셋째, 한류 콘텐츠에 대한 외국인들의 관심을 내용에 반영함으로써, 한국어 공부에 대한 학습자의 부담을 낮췄습니다. 마지막으로 세종학당을 대표하는 표준 교재로서 구심점 역할을 담당하고, 이후의 한국어 학습을 위한 연계성도 잘 갖추었습니다.

세종학당은 한국어와 한국 문화로 한국과 세계를 연결하는 대한민국 대표의 국외 한국어교육 기관입니다. 국립국어원과 문화체육관광부는 앞으로도 세종학당재단과 협력하여 전 세계에서 한국어를 사랑하는 이들이 꿈을 이룰 수 있도록 지속적인 노력과 지원을 아끼지 않겠습니다.

끝으로 교재 개발을 위해 최선의 노력을 기울여 주신 연구·집필진과 출판사 관계자분들께 진심으로 감사의 말씀을 드립니다. 《세종한국어》의 새로운 출발과 함께 문화체육관광부와 국립국어원, 세종학당재단이 세계로 더 나아갈 수 있도록 여러분의 따뜻한 관심 부탁드립니다.

2022년 8월
국립국어원장 장소원

머리말

세종학당은 한국과 전 세계를 연결하는 한국어·한국 문화 보급 기관입니다. 이번에 개발한 교재는 상호 문화주의에 기반하여 한국어 학습에 대한 학습자의 흥미를 증진함으로써 한국어 의사소통 능력을 향상시키는 것을 목표로 하였습니다. 이를 위해 최근 한국의 상황을 적극적으로 반영하였고 최신 교수법을 구현할 수 있는 새로운 구성과 디자인을 적용하였습니다. 이를 통해 국외 한국어교육의 방향성을 새롭게 제시하고자 하였습니다. 개정《세종한국어》의 구체적 특징은 다음과 같습니다.

첫째, 세종학당의 표준 교육과정인 가형, 나형, 다형 전 과정에 탄력적으로 활용할 수 있도록 '기본 교재'와 '더하기 활동 교재'로 구분하였습니다. '기본 교재'에는 해당 등급에 필요한 핵심적인 내용을 담았으며, '더하기 활동 교재'에는 심화·확장이 필요한 언어 지식과 의사소통 활동을 담았습니다. 이를 통해 다양한 학습자 특성에 맞게 교재를 선택하여 사용할 수 있도록 하였습니다.

둘째, 효과적 교수·학습을 위해 단계별로 단원 구성을 차별화하였으며 학습 내용 또한 언어 발달 단계에 맞는 교수 학습 내용과 절차를 적용하였습니다. 특히 다양한 삽화와 시각적 자료를 적극적으로 제시하여 한국어 학습의 흥미를 극대화할 수 있도록 노력하였습니다.

셋째, 교재 전반에 생생한 한국 문화 내용을 배치하여 학습자들이 상호 문화적 관점에서 한국 문화를 이해하고, 궁극적으로는 자국의 문화와 한국 문화에 대한 바른 태도를 형성할 수 있도록 하였습니다.

넷째, 교재와 함께 '익힘책', '교사용 지도서', '어휘·표현과 문법', 수업용 PPT와 같은 보조 자료들을 개발하여 교사·학습자의 요구에 맞게 교재를 활용할 수 있도록 하였습니다.

이 교재를 기획하고 개발하는 모든 과정에 함께해 주신 국립국어원과 현지 학당과의 협조와 지원을 아끼지 않으신 세종학당재단, 그리고 학습자들이 재미있게 한국어를 배울 수 있도록 멋지게 디자인해 주신 공앤박출판사에 감사의 마음을 전하고 싶습니다. 끝으로 3년이라는 긴 시간 동안 오로지 한국어교육에 대한 열정으로 좋은 교재를 만들어 내기 위해 애써 주신 모든 집필진께 말로는 다할 수 없는 깊은 감사의 마음을 전합니다.

2022년 8월
저자 대표 이정희

차례

교재의 구성

단원	주제	단원명	기능	
입문		한글을 배워요	한글 배우기	
1	자기소개	안녕하세요? 저는 안나예요	인사하기, 소개하기	
2		전화번호가 뭐예요?	묻고 답하기	
3	사물과 동작	제 가방은 책상 옆에 있어요	묻고 답하기	
4		한국어를 공부해요	묻고 답하기	
5	물건 사기	빵하고 우유를 사요	묻고 답하기	
6		사과 다섯 개 주세요	묻고 답하기	
7	시간과 날씨	일곱 시에 시작해요	묻고 답하기	
8		날씨가 더워요?	묻고 답하기	
9	주말 활동	공원에서 산책했어요	묻고 답하기	
10		우리 같이 놀이공원에 갈까요?	제안하기	

어휘와 표현	문법		발음	활동
나라와 직업	이에요/예요	은/는		인사하기 자기소개 쓰기
한자어 수	이/가	이/가 아니에요	연음	전화번호 말하기 친구 전화번호, 이메일 주소 쓰기
물건	이, 그, 저	에 있다, 없다		물건 이름과 위치 말하기 방에 있는 물건과 위치 쓰기
기본 동사	-아요/어요 (서술, 의문)	을/를	억양 (평서문, 의문문)	동작 말하기 오늘 하는 일 쓰기
장소와 식품	에 가다	하고		쇼핑 장소와 물건 말하기 백화점에서 사는 물건 쓰기
고유어 수	단위 명사	-(으)세요	평파열음화	물건 개수와 가격 말하기 편의점에서 사는 물건 쓰기
날짜와 요일	에	○ 시 ○ 분		날짜와 시간 말하기 일과 쓰기
날씨와 계절	안	ㅂ 불규칙	휴지	날씨와 계절 말하기 고향 날씨에 대해 쓰기
주말 활동	에서	-았/었-		주말에 한 일 말하기 주말에 한 일 쓰기
약속	-고 싶다	-(으)ㄹ까요? (제안)	ㅎ 탈락	약속 제안하기 친구에게 보내는 메시지 쓰기

단원의 구성

어휘와 표현

'어휘와 표현'은 해당 단원의 주제와
관련된 대표적인 어휘를 선정하되
덩어리 표현도 함께 제시하여
언어 사용에 초점을 두었습니다.
'어휘와 표현'은 제시, 기계적 연습,
유의적 연습 또는 간단한 활동으로
구성하여 지식의 습득에서 연습을
통한 내재화까지 가능하도록
구성하였습니다.

도입

'도입'은 해당 단원의 주제나 문화 지식과
관련이 있는 장면을 제시하여 해당 단원에서
배울 내용에 대한 배경지식을 활성화하고
주제에 친숙해지도록 구성하였습니다.

1번은 삽화나 단순한 활동을 통해 기본적인 의미를 익히도록 하였고
2번과 3번은 앞서 배운 어휘를 좀 더 연습하거나 자기 발화로
연습할 수 있도록 하였습니다.

'문법 1, 2'는 해당 단원의 의사소통
기능을 수행하기 위해 꼭 알아야
하는 문법을 제시하였습니다.
필요도와 중요도를 고려하여 2개를
선정하였고 해당 문법의 핵심적
의미를 쪽 상단에 배치하였습니다.

1번은 단순하고 유도된 활동을 통해 문법을 익히도록 하였습니다.

2번은 앞서 배운 문법을 심화하여 연습하도록 하였습니다. 학습자가
자신의 정보를 활용하여 짝 활동, 모둠 활동 등의 말하기 활동을 할 수 있게
구성하였습니다.

'활동 1'은 대화문을 통한 듣기와
말하기 활동에 초점을 두었습니다.

1단계에서는 짝수 단원마다
목표 발음 항목과 실제 발음을
제시하여 한국어 발음의 원리를
이해하고 자연스러운 발음을
습득할 수 있도록 하였습니다.

1번은 해당 단원의 주제로 구성된 모범 대화문을 제시하였습니다.
먼저 대화문의 내용을 예측해 볼 수 있는 질문으로 지시문을 구성하였습니다.
대화문 제시 후에는 대화문의 내용을 확인해 볼 수 있는 이해 확인 질문을
두었습니다.

2번은 모범 대화문을 압축한 내용으로 구성하였으며 특히 교체 연습을
통해 학습자가 대화에 쉽게 익숙해지도록 하였습니다. 교체 연습의 마지막은
학습자가 자신의 정보로 대화를 만들어 보도록 하여 유사한 상황에서
자기 발화가 가능하도록 하였습니다.

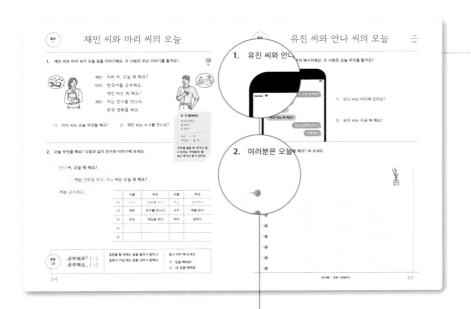

활동 2

'활동 2'는 읽기와 쓰기 활동에 초점을 두었습니다.

1번은 읽기 활동 전에 해당 단원의 주제와 관련된 도입 질문을 두어 본격적인 읽기 활동 전에 활용할 수 있도록 하였습니다. 읽기 후에는 읽은 내용을 이해하였는지 확인하는 질문도 두었습니다.

2번은 읽은 내용을 바탕으로 자신의 이야기를 쓰도록 하였습니다. 1번에서 제시된 읽기 지문의 주제와 유사한 과제를 제시하여, 읽기 지문을 모범 글로 활용하여 쓸 수 있도록 고안하였습니다.

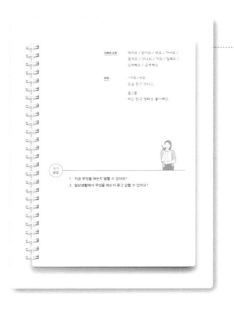

정리 　 자기 점검

'정리'는 해당 단원에서 배운 어휘와 표현, 문법을 한눈에 정리할 수 있도록 하였으며 목표 문법이 사용된 핵심 예문을 배치하여 이해를 강화하고 실제로 표현해 볼 수 있도록 하였습니다.

'자기 점검'에는 해당 단원에서 배운 주제를 이해하고 수행할 수 있는지 묻는 질문을 두어 학습자 스스로 자신의 성취 수준을 확인하고 점검하도록 하였습니다.

등장인물 소개

마리

회사원.
재민의 회사 동료임.
등산과 케이팝을 좋아함.

수지

대학생.
외국에서 유학 중임.
취미는 사진 촬영임.

안나

대학생.
한국 드라마와 케이팝을
좋아함. 활발하고 적극적인
성격임.

유진

대학생.
영화 감상과 테니스 등
다양한 활동을 즐김.

재민

회사원.
주재원으로 국외 근무 중임.
산책과 캠핑을 즐김.

주노

회사원.
한국에서 유학을 했음.
독서와 여행을 즐김.

한글을 배워요

자음									
ㄱ	ㄴ	ㄷ	ㄹ	ㅁ	ㅂ	ㅅ	ㅇ	ㅈ	ㅎ
ㅊ	ㅋ	ㅌ	ㅍ	ㄲ	ㄸ	ㅃ	ㅆ	ㅉ	

모음								
ㅏ	ㅓ	ㅗ	ㅜ	ㅡ	ㅣ	ㅐ	ㅔ	
ㅑ	ㅕ	ㅛ	ㅠ	ㅒ	ㅖ			
ㅘ	ㅙ	ㅚ	ㅝ	ㅞ	ㅟ	ㅢ		

세종대왕

한국어는 어떤 언어예요?

한국어는 한국인이 사용하는 언어로서 일본, 중국, 러시아 등 세계 여러 나라에 살고 있는 재외 동포들과 한국과 한국어를 사랑하는 외국인들도 사용합니다. 세계에서 한국어를 사용하는 사람들은 약 9,000만 명 (한반도 8,200만 명, 재외 동포 800만여 명 등)으로 세계에서 20번째로 많은 사람이 사용하고 있습니다. 최근에도 케이팝(K-POP), 한국 드라마 (K-drama) 등 한류 문화가 계속해서 인기를 얻으면서 한국어를 배우는 사람들이 점점 늘고 있습니다.

한글은 어떤 글자예요?

한글은 한국어를 기록하는 문자로서 독창적인 원리로 만들어졌습니다. 한글의 옛날 이름은 '훈민정음'입니다. 조선의 네 번째 왕이었던 세종 대왕이 한국어 말소리를 바르게 적을 수 있는 문자가 없어 어려움을 겪던 백성들을 위해, 오랜 연구 끝에 누구나 쉽게 배우고 사용할 수 있는 '훈민정음'을 1443년에 만들었습니다. 이 '훈민정음'이 지금은 '한글'이란 이름으로 불리고, 다양한 말소리를 적은 수의 자음(19자)과 모음(21자)만으로 적을 수 있습니다. 이에 '한글'은 세계에서 가장 체계적이면서도 과학적이고, 우수한 문자로 평가받고 있습니다.

I. 한글의 모음과 자음

모음

모음 21자

ㅏ ㅓ ㅗ ㅜ ㅡ ㅣ ㅐ ㅔ

ㅑ ㅕ ㅛ ㅠ ㅒ ㅖ ㅘ ㅙ ㅚ ㅝ ㅞ ㅟ ㅢ

모음 기본 글자는 'ㆍ', 'ㅡ', 'ㅣ'로, 모든 것의 근원이 되는
'하늘', '땅', '사람'을 본떠서 만들었습니다.

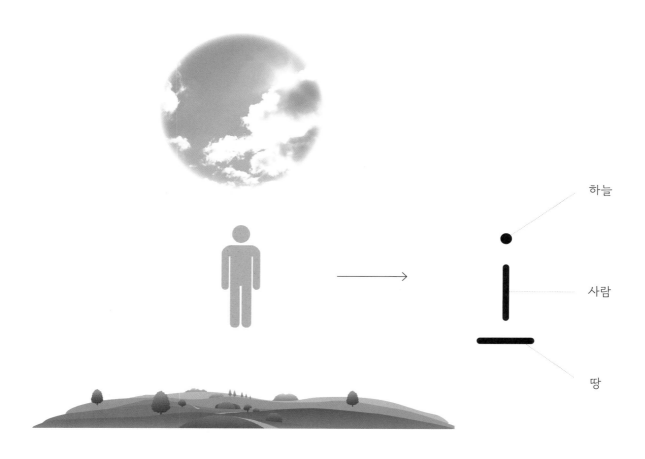

하늘

사람

땅

🌑 + 🧍 = ㅓ   🧍 + 🌑 = ㅏ

다른 모음 글자는 모음 기본 글자를 조합해서 만들었습니다.

• + ㅡ ⇒ ㅗ   ㅣ + • ⇒ ㅏ

ㅡ + • ⇒ ㅜ   • + ㅣ ⇒ ㅓ

ㅗ + • ⇒ ㅛ   ㅏ + • ⇒ ㅑ

ㅜ + • ⇒ ㅠ   ㅓ + • ⇒ ㅕ

자음

자음 19자

ㄱ ㄴ ㄷ ㄹ ㅁ ㅂ ㅅ ㅇ ㅈ ㅎ

ㅊ ㅋ ㅌ ㅍ ㄲ ㄸ ㅃ ㅆ ㅉ

자음 기본 글자는 'ㄱ, ㄴ, ㅁ, ㅅ, ㅇ'으로, 이는 혀, 입술, 이, 목구멍 등 발음 기관의 모양 또는 그 움직임을 본떠서 만들었습니다.

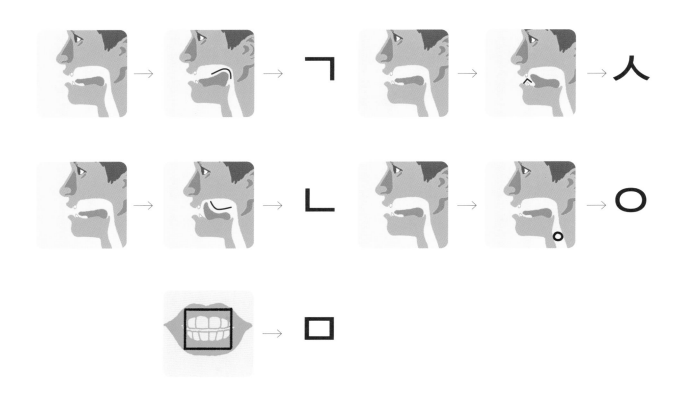

자음	ㄱ	ㄴ	ㄷ	ㄹ	ㅁ	ㅂ	ㅅ	ㅇ	ㅈ	ㅎ
자음의 이름	기역	니은	디귿	리을	미음	비읍	시옷	이응	지읒	히읗
자음	ㅊ	ㅋ	ㅌ	ㅍ	ㄲ	ㄸ	ㅃ	ㅆ	ㅉ	
자음의 이름	치읓	키읔	티읕	피읖	쌍기역	쌍디귿	쌍비읍	쌍시옷	쌍지읒	

다른 자음 글자는 자음 기본 글자에 획을 더하거나 같은 자음 글자를
하나 더 나란히 쓰는 방식으로 만들었습니다.

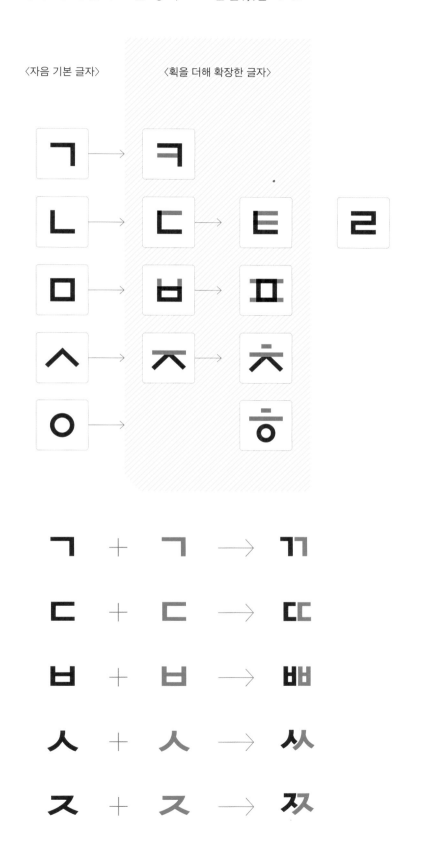

1. 모음과 자음 연습 —1

1) 모음 연습 1

(1) 듣고 따라 해 보세요.

01

| 아 | 어 | 오 | 우 | 으 | 이 | 애 | 에 |

(2) 써 보세요.

글자	ㅏ	ㅓ	ㅗ	ㅜ	ㅡ	ㅣ	ㅐ	ㅔ
쓰는 순서								

(3) 읽고 써 보세요.

⊕ **더 알아봐요** 자음 없이 모음만으로도 글자가 되며, 'ㅇ'이 빈자리를 채웁니다.

아						
어						
오						
우						
으						
이						
애						
에						

(4) 잘 듣고 맞는 것을 고르세요.

① □ 아   □ 어   ② □ 오   □ 우

③ □ 으   □ 이   ④ □ 애   □ 아

⑤ □ 어   □ 오   ⑥ □ 우   □ 으

⑦ □ 어   □ 에

(5) 다음 단어를 읽고 써 보세요.

오	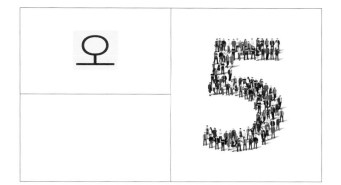

이	

아이	

오이	

2) 자음 연습 1

(1) 듣고 따라 해 보세요.

| 가 | 나 | 다 | 라 | 마 | 바 | 사 | 아 | 자 | 하 |

(2) 써 보세요.

글자	ㄱ	ㄴ	ㄷ	ㄹ	ㅁ	ㅂ	ㅅ	ㅇ	ㅈ	ㅎ
쓰는 순서	ㄱ	ㄴ	ㄷ	ㄹ	ㅁ	ㅂ	ㅅ	ㅇ	ㅈ	ㅎ

(3) 읽고 써 보세요.

글자	ㅏ	ㅓ	ㅗ	ㅜ	ㅡ	ㅣ	ㅐ	ㅔ
ㄱ	가	거	고	구	그	기	개	게
ㄴ								
ㄷ								
ㄹ								
ㅁ								
ㅂ								
ㅅ								
ㅇ								
ㅈ								
ㅎ								

(4) 잘 듣고 맞는 것을 고르세요.

① □ 가　□ 사　　　② □ 러　□ 저

③ □ 노　□ 도　　　④ □ 무　□ 부

⑤ □ 으　□ 흐　　　⑥ □ 시　□ 지

⑦ □ 래　□ 내　　　⑧ □ 데　□ 세

⑨ □ 부　□ 구　　　⑩ □ 모　□ 소

(5) 다음 단어를 읽고 써 보세요.

소	

가게	

모자	

나무	

허리	

아버지	

2. 모음과 자음 연습 —2

1) 모음 연습 2

(1) 듣고 따라 해 보세요.

05

| 야 | 여 | 요 | 유 | 애 | 예 | 와 | 왜 | 외 | 워 | 웨 | 위 | 의 |

(2) 써 보세요.

글자	ㅑ	ㅕ	ㅛ	ㅠ	ㅐ	ㅔ	ㅘ	ㅙ	ㅚ	ㅝ	ㅞ	ㅟ	ㅢ
쓰는 순서	ㅑ	ㅕ	ㅛ	ㅠ	ㅐ	ㅔ	ㅘ	ㅙ	ㅚ	ㅝ	ㅞ	ㅟ	ㅢ

(3) 읽고 써 보세요.

글자	ㅑ	ㅕ	ㅛ	ㅠ	ㅐ	ㅔ	ㅘ	ㅙ	ㅚ	ㅝ	ㅞ	ㅟ	ㅢ
ㄱ	갸	겨	교	규	걔	계	과	괘	괴	궈	궤	귀	긔
ㄴ													
ㄷ													
ㄹ													
ㅁ													
ㅂ													
ㅅ													
ㅇ													
ㅈ													
ㅎ													

(4) 잘 듣고 맞는 것을 고르세요.

① □ 야   □ 여   ② □ 요   □ 유
③ □ 애   □ 얘   ④ □ 와   □ 왜
⑤ □ 워   □ 웨   ⑥ □ 위   □ 워
⑦ □ 예   □ 왜   ⑧ □ 유   □ 웨
⑨ □ 우   □ 위   ⑩ □ 이   □ 의

(5) 다음 단어를 읽고 써 보세요.

2) 자음 연습 2

(1) 듣고 따라 해 보세요.

| 카 | 타 | 파 | 차 | 까 | 따 | 빠 | 싸 | 짜 |

(2) 써 보세요.

글자	ㅋ	ㅌ	ㅍ	ㅊ	ㄲ	ㄸ	ㅃ	ㅆ	ㅉ
쓰는 순서	ㅋ	ㅌ	ㅍ	ㅊ	ㄲ	ㄸ	ㅃ	ㅆ	ㅉ

(3) 읽고 써 보세요.

글자	ㅏ	ㅓ	ㅗ	ㅜ	ㅡ	ㅣ	ㅐ	ㅔ
ㅋ	카	커	코	쿠	크	키	캐	케
ㅌ								
ㅍ								
ㅊ								
ㄲ								
ㄸ								
ㅃ								
ㅆ								
ㅉ								

(4) 잘 듣고 맞는 것을 고르세요.

① □ 가 □ 카 □ 까   ② □ 더 □ 터 □ 떠

③ □ 보 □ 포 □ 뽀   ④ □ 주 □ 추 □ 쭈

⑤ □ 새 □ 째 □ 쌔   ⑥ □ 그 □ 크 □ 끄

⑦ □ 디 □ 티 □ 띠   ⑧ □ 배 □ 패 □ 빼

(5) 다음 단어를 읽고 써 보세요.

차	

꼬리	

카드	

찌개	

포도	

오빠	

3. 받침

한글은 자음과 모음을 모아 하나의 글자를 만듭니다.
이때 모음 뒤에 오는 자음을 '받침'이라고 합니다.

글자 구성	예
자음 + 모음	ㄱ + ㅏ → 가
자음 + 모음 + 자음	ㄱ + ㅏ + ㄴ → 간

1) 받침소리

받침	발음	단어
ㄱ, ㄲ, ㅋ	[ㄱ]	약, 밖, 부엌
ㄴ	[ㄴ]	눈, 문, 손
ㄷ, ㅌ, ㅅ, ㅆ, ㅈ, ㅊ, ㅎ	[ㄷ]	곧, 밑, 옷, 있다, 낮, 빛, 히읗
ㄹ	[ㄹ]	달, 물, 불
ㅁ	[ㅁ]	곰, 봄, 땀
ㅂ, ㅍ	[ㅂ]	밥, 집, 옆
ㅇ	[ㅇ]	공, 병, 빵

2) 받침 연습

(1) 듣고 따라 해 보세요.

09

악　안　앋　알　암　압　앙

(2) 읽고 써 보세요.

채 + ㄱ	책			바 + ㄲ	밖	
도 + ㄴ	돈			거 + ㅌ	겉	
비 + ㅅ	빗			나 + ㅈ	낮	
꼬 + ㅊ	꽃			무 + ㄹ	물	
사 + ㅁ	삼			이 + ㅂ	입	
수 + ㅍ	숲			바 + ㅇ	방	

4. 한글 쓰기

한글은 자음 글자와 모음 글자를 한 자씩 옆으로 이어 쓰지 않고, 네모꼴로 모아 씁니다. 모음 가운데 'ㅣ','ㅏ', 'ㅓ'처럼 사람을 본떠 만든 모음은 자음 오른쪽에 쓰고, 'ㅡ', 'ㅗ', 'ㅜ'처럼 땅을 본떠 만든 모음은 자음 아래쪽에 씁니다.

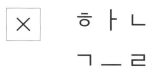      

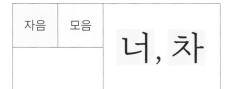

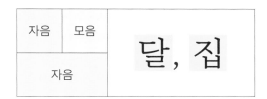

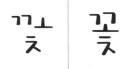

(1) 바르게 쓴 글자에 ○ 표시를 하세요.

①

②

③

II. 한글 연습

1. 한글 연습 1

(1) 다음 위치에 맞는 모음을 찾아 연결하세요.

①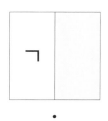

②

ㅏ　　　ㅗ　　　ㅡ　　　ㅔ

(2) 잘 듣고 맞는 단어를 써 보세요.　🔊 10

①  구두

②

③

④

(3) 읽어 보세요.

① 나무 아래 바나나 두 개　　② 나 너무 오래 기다리지 마

③ 고기하고 오이 사러 가자　　④ 흐리더니 이제 비가 오네

28

2. 한글 연습 2

(1) 다음 위치에 맞는 모음을 찾아 연결하세요.

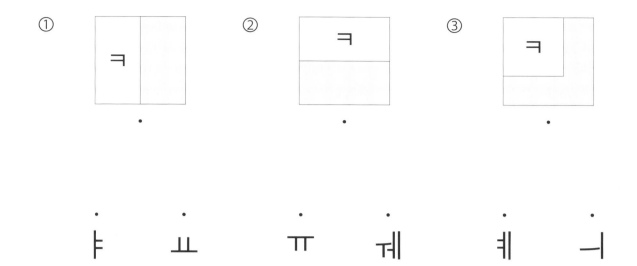

(2) 잘 듣고 맞는 단어를 써 보세요.

(3) 읽어 보세요.

① 코트가 예쁘고 싸요

② 오후가 되니까 추워요

③ 코끼리가 토끼보다 커요

④ 아무리 어려워도 포기하지 마세요

3. 한글 연습 3

(1) 사진의 한글을 읽어 보세요.

(2) 포스터의 제목을 듣고 맞는 번호와 연결하세요.

①   ②   ③

(3) 여러분의 이름, 여러분이 사는 나라와 도시를 한글로 써 보세요.

이름	나라	도시

안녕하세요? 저는 안나예요

자기소개를 할 수 있어요.

안녕?

안녕?

안녕하십니까?

안녕하세요?

1 한국에서는 어떻게 인사해요?

2 여러분 나라에서는 어떻게 인사해요?

1. 어느 나라 사람이에요?
다음을 듣고 따라 해 보세요.
01

1) 한국 사람

2) 캐나다 사람

3) 베트남 사람

4) 미국 사람

5) 프랑스 사람

6) 태국 사람

7) 인도네시아 사람

8) 중국 사람

9) 일본 사람

10) 러시아 사람

11) 케냐 사람

12) ....

2. 직업이 뭐예요?
다음을 듣고 따라 해 보세요.
02

1) 회사원

2) 대학생

3) 의사

4) 경찰

5) 선생님

6) 가수

7) 요리사

---

3. 그림을 보고 대화를 완성해 보세요.

회사원이에요?

네. 회사원이에요.

1)
가 : 학생이에요?
나 : 네. .... 이에요.

2)
가 : 한국 사람이에요?
나 : 아니요. .... 이에요.

3)
가 : 선생님이에요?
나 : 아니요. .... 예요.

4)
(나)
가 : 미국 사람이에요?
나 : ....
가 : 의사예요?
나 : ....

이에요 / 예요

명사 뒤에 붙여서 사람이나 사물 등의 명사를 서술할 때 사용해요.

가 : 회사원이에요?
나 : 네. 회사원이에요.

가 : 모자예요?
나 : 네. 모자예요.

---

1. 그림을 보고 이야기해 보세요.

책이에요?　　네. 책이에요.

공책이에요?

아니요. 책이에요.

1)
(한복)

가 : 한복이에요?
나 : 네. ....

2)
(커피)

가 : 커피예요?
나 : 네. ....

3)
(동생)

가 : 언니예요?
나 : 아니요. ....

4)
(미국 사람)

가 : 프랑스 사람이에요?
나 : 아니요. ....

⊕ **더 알아봐요**

사람은 '누구'를 사용해 질문합니다.

가 : 누구예요?
나 : 친구예요.

---

2. 여러분의 사진을 보면서 다음과 같이 친구와 이야기해 보세요.

누구예요?　　친구예요.

한국 사람이에요?　　아니요. 태국 사람이에요.

새 어휘 | 모자 / 책 / 공책 / 한복 / 커피 / 언니 / 동생 / 누구 / 친구

은/는

가: 유진 씨 동생은 대학생이에요?
나: 네. 제 동생은 대학생이에요.

가: 아버지는 요리사예요?
나: 네. 아버지는 요리사예요.

1. 그림을 보고 대화를 완성해 보세요.

(저)

한국 사람이에요?

네. 저는 한국 사람이에요.

1)
(저)

가: 회사원이에요?
나: 네. _____.

2)
(동생)

가: 선생님이에요?
나: 네. _____.

3)
(어머니)

가: 의사예요?
나: 네. _____.

4)
(형)

가: 가수예요?
나: 네. _____.

2. 다음과 같이 친구를 소개해 보세요.

이 사람은 마리 씨예요.
마리 씨는 제 친구예요.
마리 씨는 회사원이에요.

	이름	직업
1)	마리	회사원
2)		
3)		
4)		

인사

활동
1

1. 안나 씨와 주노 씨가 처음 만나서 인사해요. 두 사람의 직업은 무엇일까요?

안나: 안녕하세요? 저는 안나예요.

주노: 안녕하세요? 저는 주노예요.

　　　안나 씨는 학생이에요?

안나: 네. 학생이에요. 주노 씨는요?

주노: 저는 회사원이에요.

1) 두 사람의 이름이 뭐예요?

① • 　　• 주노

② • 　　• 안나

2) 두 사람의 직업은 뭐예요?

① 　　　　②

---

2. 다음과 같이 친구와 인사해 보세요.

안녕하세요?
저는 서유리예요.
대학생이에요.

안녕하세요?
저는 이서준이에요.
의사예요.

	이름	직업
1)	서유리	대학생
	이서준	의사
2)	마리	회사원
	박지윤	선생님
3)	김진우	경찰
	웨이	요리사
4)		

새 어휘 | 학생

자기소개

1. 자기를 소개하는 글이에요. 두 사람의 이름과 직업이 무엇일까요?

안녕하세요?
저는 웨이예요.
저는 중국 사람이에요.
요리사예요.

안녕하세요?
저는 유나예요.
저는 한국 사람이에요.
가수예요.

1) 이름이 뭐예요?

2) 직업이 뭐예요?

2. 여러분을 소개하는 글을 써 보세요.

어휘와 표현	한국 / 캐나다 / 베트남 / 미국 /
	프랑스 / 태국 / 인도네시아 /
	중국 / 일본 / 러시아 / 케냐 /
	회사원 / 대학생 / 의사 /
	경찰 / 선생님 / 가수 / 요리사

문법	이에요/예요
	회사원이에요.
	은 / 는
	저는 요리사예요.

자기
점검

1. 자신의 나라와 직업을 말할 수 있어요?
2. 자기소개를 할 수 있어요?

전화번호가 뭐예요?

범죄 112

관광 통역 안내 1330

건강 관련 안내 1339

전화번호를 묻고 답할 수 있어요.

한국에서 112와 119는
어떤 전화번호일까요?

여러분 나라에도 특별한
전화번호가 있어요?

한자어 수

1. 숫자예요. 다음을 듣고 따라 해 보세요. 01

0	1	2	3	4	5	6	7	8	9	10
영/공	일	이	삼	사	오	육	칠	팔	구	십

11	12	13	14	15	16	17	18	19	20
십일	십이	십삼	십사	십오	십육	십칠	십팔	십구	이십

10	20	30	40	50	60	70	80	90	100
십	이십	삼십	사십	오십	육십	칠십	팔십	구십	백

---

2. 그림을 보고 빈칸에 써 보세요.

1)

팔 층

2)

_____ 월

3)

_____ 쪽

4)

_____ 번

5)

_____ 호

6)

_____ 원

3. 그림을 보고 대화를 완성해 보세요.

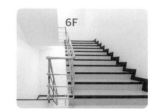
몇 층이에요?
육 층이에요.

1)

가 : 몇 번이에요?
나 : _____ 번이에요.

2)
가 : 몇 월이에요?
나 : _____ 월이에요.

3)

가 : 얼마예요?
나 : _____ 원이에요.

4)
가 : 몇 호예요?
나 : _____ 호예요.

이/가

명사 뒤에 붙어서 그 명사가
문장의 주어임을 나타내요.

가: 이름이 뭐예요?
나: 마리예요.

가: 전화번호가 뭐예요?
나: 010-1213-7505예요.

1. 그림을 보고 이야기해 보세요.

안나 씨가 누구예요?

제가 안나예요.

1)  유진

2) 주노 씨 동생

3)  마리 씨 친구

4) 요리사

2. 그림을 보고 친구와 이야기해 보세요.

카페가 어디예요? 4층이에요.

새 어휘 | 전화번호 / 카페 / 식당 / 영화관 / 노래방 / PC방 / 지하

이 / 가 아니에요

가: 동생이에요?

나: 아니요. 동생이 아니에요. 형이에요.

가: 교실이 203호예요?

나: 아니요. 203호가 아니에요. 204호예요.

203

1. 그림을 보고 대화를 완성해 보세요.

물이에요?

아니요. 물이 아니에요.
주스예요.

1)

가: 선생님이에요?

나: 아니요. _____.

학생이에요.

2)

가: 컴퓨터예요?

나: 아니요. _____.

텔레비전이에요.

3)

가: 영화관이 8층이에요?

나: 아니요. _____.

7층이에요.

4)

가: 마리 씨 남자 친구예요?

나: 아니요. _____.

동생이에요.

2. 사람 또는 물건을 가리키며
친구와 이야기해 보세요.

주노 씨는 학생이에요?

아니요. 학생이 아니에요.
회사원이에요.

친구예요?

아니요. 친구가 아니에요. 언니예요.

의자예요?

[ ]

친구의 전화번호

02

1. 재민 씨가 안나 씨 전화번호를 묻고 있어요. 안나 씨 전화번호는 몇 번일까요?

(안나)

재민: 안나 씨, 전화번호가 뭐예요?

안나: 제 전화번호는 010-1359-6783이에요.

재민: 010-1359-6784, 맞아요?

안나: 6784가 아니에요. 6783이에요.

1) 두 사람은 무슨 이야기를 해요?

2) 안나 씨 전화번호는 몇 번이에요?

---

2. 전화번호가 뭐예요? 다음과 같이 친구와 이야기해 보세요.

주노 씨, 전화번호가 뭐예요?

010-1640-2953이에요.

010-1640-2953, 맞아요? 　　네. 맞아요.

	이름	전화번호
1)	주노	010-1640-2953
2)	유진	010-1562-9122
3)	마리	010-1214-7406
4)		

주노 씨, 전화번호가 뭐예요? 　　010-1640-2953이에요.

010-1640-2954, 맞아요? 　　2954가 아니에요. 2953이에요.

발음
🔊

맞아요
[마자요]

받침은 뒤 음절이 모음으로 시작할 때,
뒤 음절의 첫소리로 발음돼요.

듣고 따라 해 보세요.

○ 제 **이름은** 안나예요.

○ 저는 **회사원이에요.**

새 어휘 | 맞다 / 두 / 무슨

전화번호

1. 다음 장소의 전화번호는 몇 번일까요? 그림을 보고 물음에 답해 보세요.

1) 한국 카페 전화번호가 몇 번이에요? 2) 세종학당 전화번호가 몇 번이에요?

2. 친구의 전화번호와 이메일 주소를 묻고 써 보세요.

	이름	전화번호	이메일 주소
1)			
2)			
3)			
4)			
5)			

어휘와 표현	영, 공 / 일 / 이 / 삼 / 사 / 오 / 육 / 칠 / 팔 / 구 / 십 / 십일 / 십이 / 십삼 / 십사 / 십오 / 십육 / 십칠 / 십팔 / 십구 / 이십 / 십 / 이십 / 삼십 / 사십 / 오십 / 육십 / 칠십 / 팔십 / 구십 / 백
문법	이/가 전화번호가 뭐예요? 이/가 아니에요 동생이 아니에요. 형이에요.

자기
점검

1. 숫자를 읽을 수 있어요?
2. 전화번호를 묻고 답할 수 있어요?

제 가방은 책상 옆에 있어요

물건의 이름과 위치를 묻고 답할 수 있어요.

도서관

여러분의 교실에는
무엇이 있어요?

교실

교실에 무엇이 있어요?

미국 거점 세종학당 교실

물건

1. 교실에 무엇이 있어요? √ 표시를 해 보세요. 그리고 듣고 따라 해 보세요.

01

　□ 책　　　　□ 책상　　　　□ 의자

　□ 가방　　　　□ 필통　　　　□ 시계

2. 어디에 있어요? 다음을 듣고 따라 해 보세요.

02

1) 의자 앞　　2) 의자 뒤　　3) 의자 위　　4) 의자 아래/의자 밑　　5) 의자 옆(오른쪽)

6) 의자 옆(왼쪽)　　7) 의자 사이　　8) 집 안　　9) 집 밖

3. 그림을 보고 대화를 완성해 보세요.

필통이 어디에 있어요?

책상 위에 있어요.

1) 가 : 가방이 어디에 있어요?

　　나 : ＿＿＿＿＿＿＿＿＿＿＿＿＿ 에 있어요.

2) 가 : 책이 어디에 있어요?

　　나 : ＿＿＿＿＿＿＿＿＿＿＿＿＿ 에 있어요.

3) 가 : 안나 씨가 어디에 있어요?

　　나 : ＿＿＿＿＿＿＿＿＿＿＿＿＿ 에 있어요.

4) 가 : 주노 씨가 어디에 있어요?

　　나 : ＿＿＿＿＿＿＿＿＿＿＿＿＿ 에 있어요.

이, 그, 저

명사 앞에서 사람이나 사물을 가리킬 때 사용해요.
말하는 사람에게 가까이 있는 것은 '이', 멀리 있는 것은
'저', 듣는 사람에게 가까이 있는 것은 '그'를 사용해요.

가: 이 사람은 누구예요?
나: 제 동생이에요.

가: 저 핸드폰은 주노 씨 핸드폰이에요?
나: 네. 주노 씨 핸드폰이에요.

1. 그림을 보고 대화를 완성해 보세요.

1) (마리)
2) (유진)
3) (수지)
4) (주노)

이 사람은 누구예요?   선생님이에요.

1) 가: _____ 사람은 누구예요?
   나: 마리 씨예요.

2) 가: _____ 사람은 누구예요?
   나: 유진 씨예요.

3) 가: _____ 사람은 누구예요?
   나: 수지 씨예요.

4) 가: _____ 사람은 누구예요?
   나: 주노 씨예요.

2. 그림을 보고 대화를 완성해 보세요.

저 가방은 누구 가방이에요?

마리 씨 가방이에요.

1) 주노: _____ 은 누구 책이에요?
   안나: 제 책이에요.

2) 주노: _____ 는 누구 시계예요?
   안나: 유진 씨 시계예요.

3) 주노: _____ 은 유진 씨 핸드폰이에요?
   안나: 네. 유진 씨 핸드폰이에요.

4) 주노: _____ 은 안나 씨 필통이에요?
   안나: 아니요. 리사 씨 필통이에요.

새 어휘 | 핸드폰

에 있다, 없다

명사 뒤에 붙어서 사람이나
사물의 위치를 나타내요.

1A
3과

가 : 책이 어디에 있어요?
나 : 책상 위에 있어요.

가 : 수지 씨가 집에 있어요?
나 : 아니요. 집에 없어요. 학교에 있어요.

1. 그림을 보고 이야기해 보세요.

칠판이 교실에 있어요?   네. 칠판이 교실에 있어요.

피아노가 교실에 있어요?   아니요. 피아노가 교실에 없어요.

1)   2)

3)    4)

(유진)

2. 그림을 보고 대화를 완성해 보세요.

컴퓨터가 어디에 있어요?

책상 위에 있어요.

1) 가 : 시계가 어디에 있어요?
    나 : _____ 에 있어요.

2) 가 : 가방이 의자 옆에 있어요?
    나 : 네. _____ 에 있어요.

3) 가 : 책이 책상 위에 있어요?
    나 : 아니요. _____ 에 있어요.

4) 가 : 주노 씨가 칠판 앞에 있어요?
    나 : 아니요. _____ 에 있어요.

친구의 가방

1. 안나 씨와 유진 씨가 가방 이야기를 하고 있어요. 대화를 듣고 다음 물음에 답해 보세요.

안나: 이 가방이 유진 씨 가방이에요?

유진: 아니요. 제 가방은 책상 옆에 있어요.

안나: 그럼 누구 가방이에요?

유진: 그 가방은 마리 씨 가방이에요.

1) 이 가방은 누구 가방이에요?

2) 유진 씨 가방은 어디에 있어요?

2. 다음과 같이 친구와 이야기해 보세요.

이 책이 마리 씨 책이에요?

아니요. 제 책은 책상 위에 있어요.

그럼 누구 책이에요?

그 책은 유진 씨 책이에요.

	이름	물건	위치	누구
1)	마리	책	책상 위	유진
2)	안나	펜	필통 안	주노
3)	재민	우산	의자 옆	수지
4)				

새 어휘 | 그럼 / 펜 / 우산

주노 씨의 방

1. 주노 씨 방이에요. 방에 무엇이 있을까요?

　　제 방이에요. 침대가 있어요. 침대 옆에 책상이 있어요. 책상 위에 컴퓨터가 있어요. 시계는 없어요.

1)　침대 옆에 무엇이 있어요?

2)　책상 위에 무엇이 있어요?

2. 여러분 방에 무엇이 있어요? 그림을 그리고 써 보세요.

<u>어휘와 표현</u>	책 / 책상 / 의자 / 가방 / 필통 / 시계 /
	앞 / 뒤 / 위 / 아래 / 밑 /
	옆 / 오른쪽 / 왼쪽 / 사이 / 안 / 밖
<u>문법</u>	이, 그, 저
	이 사람은 누구예요?
	에 있다, 없다
	책상 위에 있어요.

자기
점검

1. 물건의 이름을 말할 수 있어요?
2. 물건의 위치를 묻고 답할 수 있어요?

한국어를 공부해요

일상생활에서 하는 일을 묻고 답할 수 있어요.

이 사람들은 무엇을 해요?

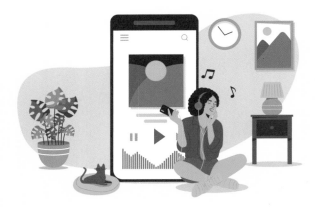

여러분은 오늘 무엇을 해요?

기본 동사

1. 오늘 무엇을 해요? √ 표시를 해 보세요. 그리고 듣고 따라 해 보세요.

01

☐ 먹어요 ☐ 읽어요 ☐ 봐요 ☐ 마셔요 ☐ 들어요

☐ 만나요 ☐ 자요 ☐ 일해요 ☐ 요리해요 ☐ 공부해요

2. 알맞은 것을 연결해 보세요.

1) 책 •   • 봐요

2) 영화 •   • 읽어요

3) 친구 •   • 만나요

4) 한국어 •   • 공부해요

3. 이 사람은 무엇을 해요? 그림을 보고 친구와 이야기해 보세요.

무엇을 해요?   일해요.

1)

2)

3)

4)

5)

6)

-아요 / 어요

동사나 형용사 뒤에 붙어서
동작이나 상태를 나타내요.

가 : 주노 씨는 오늘 무엇을 해요?
나 : 오늘 친구 만나요.

가 : 유진 씨, 불고기 맛있어요?
나 : 네. 정말 맛있어요.

---

1. 그림을 보고 대화를 완성해 보세요.

지금 무엇을 해요?

피자 먹어요.

1) 가 : 지금 무엇을 해요?
    나 : 책 _____ .

2) 가 : 지금 무엇을 해요?
    나 : 텔레비전 _____ .

3) 가 : 지금 공부해요?
    나 : 네. _____ .

4) 가 : 지금 일해요?
    나 : 아니요. _____ .

---

2. 그림을 보고 친구와 이야기해 보세요.

오늘 무엇을 해요?

영화 봐요.

1) 　　2) 　　3)

4) 　　5) 　　6)

새 어휘 | 오늘 / 불고기 / 정말 / 맛있다 / 지금 / 피자

을 / 를

명사 뒤에 붙여서 명사를 문장의 목적어로 만들 때 사용해요.

가 : 오늘 무엇을 해요?
나 : 책을 읽어요.

가 : 안나 씨는 한국 영화를 좋아해요?
나 : 네. 저는 한국 영화를 좋아해요.

---

1. 그림을 보고 이야기해 보세요.

(꽃)

무엇을 좋아해요?
꽃을 좋아해요.

(커피)

무엇을 좋아해요?
커피를 좋아해요.

1) 고양이

2) 음악

3) 게임

4) 쇼핑

5) 김치

6) 불고기

---

2. 그림을 보고 대화를 완성해 보세요.

지금 무엇을 해요?   옷을 사요.

1)
가 : 지금 무엇을 해요?
나 : _____.

2)
가 : 지금 음악을 들어요?
나 : 네. _____.

3)
가 : 오늘 일해요?
나 : 아니요. _____.

4)
가 : 지금 무엇을 해요?
나 : _____.

새 어휘 | 좋아하다 / 꽃 / 고양이 / 음악 / 게임 / 쇼핑 / 김치 / 옷 / 사다

재민 씨와 마리 씨의 오늘

1. 재민 씨와 마리 씨가 오늘 일을 이야기해요. 두 사람은 무슨 이야기를 할까요?

02

재민: 마리 씨, 오늘 뭐 해요?

마리: 한국어를 공부해요.

　　　재민 씨는 뭐 해요?

재민: 저는 친구를 만나요.

　　　한국 영화를 봐요.

1) 마리 씨는 오늘 무엇을 해요?　　　2) 재민 씨는 누구를 만나요?

> **⊕ 더 알아봐요**
>
> 무엇을 해요?
> 뭘 해요?
> 뭐 해요?
>
> | 무엇 | → | 뭐 |
> |---|---|---|
> | 무엇을 | → | 뭘, 뭐 |
>
> '무엇'을 말할 때 '뭐'라고 할 수 있어요. '무엇을'은 '뭘' 또는 '뭐'라고 할 수 있어요.

2. 오늘 무엇을 해요? 다음과 같이 친구와 이야기해 보세요.

안나 씨, 오늘 뭐 해요?

　　　저는 영화를 봐요. 주노 씨는 오늘 뭐 해요?

저는 공부해요.

	이름	무엇	이름	무엇
1)	안나	영화를 보다	주노	공부하다
2)	재민	친구를 만나다	수지	책을 읽다
3)	유진	게임을 하다	마리	일하다
4)				
5)				

발음 🔊

공부해요? [↗]
공부해요. [↘]

질문을 할 때에는 끝을 올려서 말하고 질문이 아닐 때는 끝을 내려서 말해요.

듣고 따라 해 보세요.

가: 밥을 **먹어요**?
나: 네. 밥을 **먹어요**.

1. 유진 씨와 안나 씨의 문자 메시지예요. 두 사람은 오늘 무엇을 할까요?

안나 씨, 오늘 뭐 해요?

지금 집에 있어요.

영화를 봐요.

유진 씨는 뭐 해요?

저는 공원에 있어요.

운동해요.

1) 안나 씨는 어디에 있어요?

2) 유진 씨는 지금 뭐 해요?

2. 여러분은 오늘 무엇을 해요? 써 보세요.

어휘와 표현	먹어요 / 읽어요 / 봐요 / 마셔요 / 들어요 / 만나요 / 자요 / 일해요 / 요리해요 / 공부해요
문법	–아요 / 어요 오늘 친구 만나요. 을 / 를 저는 한국 영화를 좋아해요.

자기
점검

1. 지금 무엇을 하는지 말할 수 있어요?
2. 일상생활에서 무엇을 하는지 묻고 답할 수 있어요?

빵하고 우유를 사요

가는 장소와 사는 물건을 말할 수 있어요.

여기는 어디예요?
무엇을 사요?

여러분은 무엇을 자주 사요?

장소와 식품

1. 어디에 자주 가요? √ 표시를 해 보세요. 그리고 듣고 따라 해 보세요. 01

 □ 학교    □ 회사    □ 식당

 □ 카페    □ 공원    □ 마트

2. 무엇을 좋아해요? √ 표시를 해 보세요. 그리고 듣고 따라 해 보세요. 02

 □ 빵   □ 라면   □ 과일   □ 커피

 □ 차   □ 우유   □ 과자   □ 아이스크림

3. 그림을 보고 대화를 완성해 보세요.

여기는 집이에요.

아이스크림을 먹어요.

1)
여기는 ＿＿＿＿＿＿ 이에요.
＿＿＿＿＿＿ 을 먹어요.

2)
여기는 ＿＿＿＿＿＿ 예요.
＿＿＿＿＿＿ 를 마셔요.

3)
여기는 ＿＿＿＿＿＿ 이에요.
＿＿＿＿＿＿ 를 먹어요.

4)
여기는 ＿＿＿＿＿＿ 예요.
＿＿＿＿＿＿ 를 사요.

에 가다

명사 뒤에 붙어서 진행 방향이나
목적지로 이동함을 나타내요.

가 : 마리 씨, 어디에 가요?

나 : 영화관에 가요.

가 : 재민 씨, 집에 가요?

나 : 아니요. 백화점에 가요.

---

1. 그림을 보고 대화를 완성해 보세요.

주노 씨는 어디에 가요?

식당에 가요.

1) 가 : 마리 씨는 어디에 가요?

　나 : _____ 에 가요.

2) 가 : 재민 씨는 어디에 가요?

　나 : _____ 에 가요.

3) 가 : 안나 씨는 학교에 가요?

　나 : 아니요. _____ 에 가요.

4) 가 : 유진 씨는 회사에 가요?

　나 : 아니요. _____ 에 가요.

---

2. 그림을 보고 친구와 이야기해 보세요.

어디에 가요?　　세종학당에 가요.

뭐 해요?　　한국어를 공부해요.

1)

2)

3)

4)

새 어휘 | 백화점

하고

명사 뒤에 붙여서 그 명사와 뒤에 오는 명사를 연결할 때 사용해요. '하고' 대신에 '와/과'를 사용할 수 있어요.

1A
5과

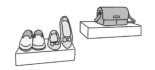

가: 뭘 사요?

나: 가방하고 구두를 사요.

가: 교실에 누가 있어요?

나: 선생님하고 안나 씨가 있어요.

⊕ **더 알아봐요**

'누구'와 '가'를 함께 말하면 '누가'가 됩니다.

누구 + 가 → 누가
집에 누가 있어요?

---

1. 그림을 보고 대화를 완성해 보세요.

(사과)

(포도)

뭘 사요?

사과하고 포도를 사요.

1)
(케이크) (빵)

가: 뭘 먹어요?

나: _____ 을 먹어요.

2)
(우유) (차)

가: 뭘 마셔요?

나: _____ 를 마셔요.

3)
(영화관) (카페)

가: 어디에 가요?

나: _____ 에 가요.

4)
(선생님) (수지)

가: 누구를 만나요?

나: _____ 를 만나요.

---

2. 우리 교실에 무엇이 있어요? 누가 있어요? 다음과 같이 친구와 이야기해 보세요.

시계 | 칠판

유진 | 안나

교실에 무엇이 있어요?

시계하고 칠판이 있어요.

교실에 누가 있어요?

유진 씨하고 안나 씨가 있어요.

새 어휘 | 구두 / 누가 / 사과 / 포도 / 케이크

71

마트

03

1. 안나 씨와 주노 씨가 이야기해요. 두 사람은 무슨 이야기를 할까요?

안나: 주노 씨, 어디에 가요?

주노: 마트에 가요.

안나: 뭘 사요?

주노: 빵하고 우유를 사요.

1) 주노 씨가 어디에 가요?　　　　2) 주노 씨가 무엇을 사요?

2. 다음과 같이 친구와 이야기해 보세요.

어디에 가요?　　　식당에 가요.

뭘 먹어요?　　　라면하고 김밥을 먹어요.

	어디	무엇	
1)	식당	라면	김밥
2)	백화점	옷	신발
3)	학교	한국어	영어
4)			

새 어휘 | 김밥 / 신발 / 영어

백화점 쇼핑

1. 수지 씨와 유진 씨가 백화점에서 쇼핑을 해요. 두 사람은 무엇을 살까요?

수지 씨하고 유진 씨가 백화점에 가요. 수지 씨는 신발하고 옷을 사요. 유진 씨는 화장품하고 가방을 사요.

1) 수지 씨는 무엇을 사요?

2) 유진 씨는 무엇을 사요?

2. 여러분이 백화점에 가요. 무엇을 사요? 써 보세요.

어휘와 표현	학교 / 회사 / 식당 / 카페 / 공원 / 마트 /
	빵 / 라면 / 과일 / 커피 / 차 / 우유 /
	과자 / 아이스크림
문법	에 가다
	영화관에 가요.
	하고
	가방하고 구두를 사요.

자기
점검

1. 장소와 물건을 말할 수 있어요?
2. 무엇을 사는지 묻고 답할 수 있어요?

사과 다섯 개 주세요

물건의 개수와 가격을 묻고 답할 수 있어요.

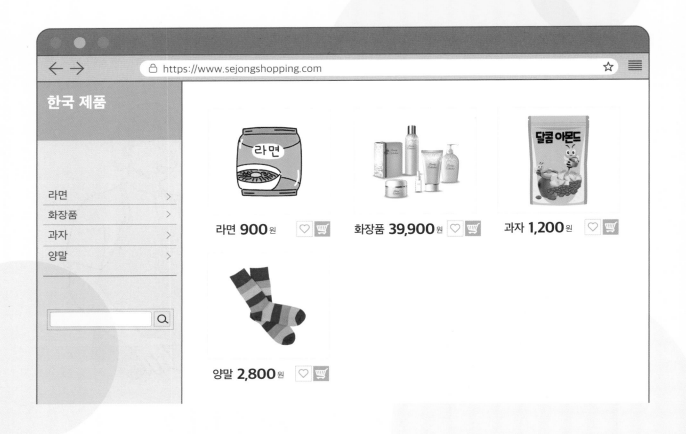

라면하고 과자는
얼마예요?

여러분은
어떤 한국 제품을 사요?

고유어 수

1. 숫자예요. 다음을 듣고 따라 해 보세요.

01

하나	둘	셋	넷	다섯	여섯	일곱
한 개	두 개	세 개	네 개	다섯 개	여섯 개	일곱 개

여덟	아홉	열	열하나	열둘	···	스물
여덟 개	아홉 개	열 개	열한 개	열두 개		스무 개

30	40	50	60	70	80	90	100
서른	마흔	쉰	예순	일흔	여든	아흔	백

---

2. 공이 몇 개 있어요? √ 표시를 해 보세요.

1) □ 세 개 □ 네 개   2) □ 다섯 개 □ 여섯 개   3) □ 여덟 개 □ 아홉 개   4) □ 열한 개 □ 열두 개

---

3. 그림을 보고 대화를 완성해 보세요.

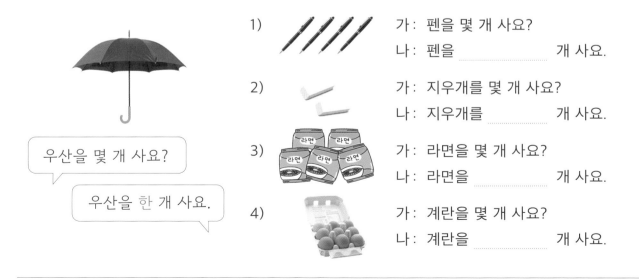

우산을 몇 개 사요?

우산을 한 개 사요.

1) 가 : 펜을 몇 개 사요?
   나 : 펜을 _____ 개 사요.

2) 가 : 지우개를 몇 개 사요?
   나 : 지우개를 _____ 개 사요.

3) 가 : 라면을 몇 개 사요?
   나 : 라면을 _____ 개 사요.

4) 가 : 계란을 몇 개 사요?
   나 : 계란을 _____ 개 사요.

단위 명사

'개, 명, 마리' 등은 물건, 사람, 동물을 세는 단위를 나타내요.

한 개

두 명

세 마리

네 잔

다섯 병

여섯 권

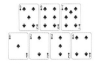
일곱 장

여덟 살

가 : 뭘 사요?
나 : 빵을 한 개 사요.

가 : 학생이 몇 명 있어요?
나 : 두 명 있어요.

1. 그림을 보고 대화를 완성해 보세요.

사람이 몇 명 있어요?

세 명 있어요.

1) 가 : 주스가 몇 _____ 있어요?
   나 : 두 _____ 있어요.

2) 가 : 책이 몇 _____ 있어요?
   나 : 여섯 _____ 있어요.

3) 가 : 물이 몇 _____ 있어요?
   나 : 한 _____ 있어요.

4) 가 : 고양이가 몇 _____ 있어요?
   나 : 한 _____ 있어요.

2. 우리 교실에 무엇이 몇 개 있어요? 다음과 같이 친구와 이야기해 보세요.

창문이 몇 개 있어요?

창문이 두 개 있어요.

	무엇	몇 개
1)	창문	두 개
2)	책상	
3)	의자	
4)		

새 어휘 | 명 / 마리 / 잔 / 병 / 권 / 장 / 살 / 창문

가 : 안나 씨, 여기 앉으세요.
나 : 네. 고마워요.

가 : 라면 세 개 주세요.
나 : 여기 있어요.

1. 여기는 교실이에요. 그림을 보고 알맞은 것을 연결해 보세요.

1)

2)

3)

4)

·

·

·

·

·

·

·

·

쓰세요.

들으세요.

대답하세요.

책을 펴세요.

2. 그림을 보고 대화를 완성해 보세요.

여러분, 칠판을 보세요.

(보다)

네. 선생님.

1)

가 : 유진 씨, 35쪽을 ＿＿＿＿＿＿. (읽다)
나 : 네. 선생님.

2)

가 : 커피 한 잔 ＿＿＿＿＿＿. (주다)
나 : 네. 삼천 원이에요.

3)

가 : 재민 씨, 내일 일찍 ＿＿＿＿＿＿. (오다)
나 : 네. 알겠어요.

4)

가 : 5번 버스를 타요?
나 : 아니요. 8번 버스를 ＿＿＿＿＿＿. (타다)

새 어휘 | 앉다 / 고맙다 / 주다 / 쓰다 / 대답하다 / 펴다 / 내일 / 일찍 / 오다 / 버스 / 타다

과일 가게

02

1. 안나 씨가 과일 가게에 가요. 무슨 이야기를 할까요?

주인: 어서 오세요.

안나: 이 사과 얼마예요?

주인: 이천 원이에요.

안나: 그럼 다섯 개 주세요.

주인: 여기 있어요.

1) 안나 씨는 무엇을 사요?

2) 사과는 모두 얼마예요?

⊕ 더 알아봐요

얼마예요? 읽어 보세요.

십 원   천 원

오십 원   오천 원

백 원   만 원

오백 원   오만 원

2. 무엇을 사요? 다음과 같이 친구와 이야기해 보세요.

어서 오세요.

빵 두 개 주세요. 얼마예요?

이천사백 원이에요.

	무엇	몇 개	얼마
1)	빵	2	2,400원
2)	바나나	5	3,000원
3)	아이스크림	1	1,200원
4)			

발음 🔊

다섯
[다섣]

한국어 받침은 [ㄱ], [ㄴ], [ㄷ], [ㄹ], [ㅁ], [ㅂ], [ㅇ] 중 하나로 발음해요. 'ㄱ, ㄲ, ㅋ'은 [ㄱ]으로, 'ㄷ, ㅌ, ㅅ, ㅆ, ㅈ, ㅊ, ㅎ'은 [ㄷ]으로, 'ㅂ, ㅍ'은 [ㅂ]으로 발음해요.

듣고 따라 해 보세요.

○ 책, 밖, 부엌
○ 옷, 꽃, 끝
○ 밥, 앞, 옆

새 어휘 | 가게 / 어서 / 모두 / 바나나

활동
2

편의점

1. 유진 씨가 편의점에 가요. 무엇을 몇 개 살까요?

저는 편의점에 가요. 치약 두 개하고 칫솔 다섯 개를 사요. 그리고 아이스크림을 한 개 사요. 모두 만 오천육백 원이에요.

1) 유진 씨는 무엇을 몇 개 사요?

2) 모두 얼마예요?

2. 여러분이 편의점에 가요. 무엇을 몇 개 사요? 써 보세요.

어휘와 표현	하나, 한 / 둘, 두 / 셋, 세 / 넷, 네 / 다섯 /
	여섯 / 일곱 / 여덟 / 아홉 / 열 /
	열하나 / 열둘 /
	스물, 스무 / 서른 / 마흔 / 쉰 /
	예순 / 일흔 / 여든 / 아흔 / 백

문법	단위 명사
	빵을 한 개 사요.
	-(으)세요
	라면 세 개 주세요.

자기 점검

1. 숫자를 말할 수 있어요?
2. 물건의 개수와 가격을 묻고 답할 수 있어요?

일곱 시에 시작해요

날짜와 시간을 묻고 답할 수 있어요.

날짜와 요일

1. 달력의 날짜를 읽을 수 있어요? 다음을 듣고 따라 해 보세요. 01

1	일월
2	이월
3	삼월
4	사월
5	오월
6	유월
7	칠월
8	팔월
9	구월
10	시월
11	십일월
12	십이월

3월

일	월	화	수	목	금	토
		1 일일	2 이일	3 삼일	4 사일	5 오일
6 육일	7 칠일	8 팔일	9 구일	10 십일	11 십일일	12 십이일
13 십삼일	14 십사일	15 십오일	16 십육일	17 십칠일	18 십팔일	19 십구일
20 이십일	21 이십일일	22 이십이일	23 이십삼일	24 이십사일	25 이십오일	26 이십육일
27 이십칠일	28 이십팔일	29 이십구일	30 삼십일	31 삼십일일		

2. 빈칸에 들어갈 요일을 찾아 써 보세요. 그리고 듣고 따라 해 보세요. 02

토요일   일요일   화요일   목요일

3월	6	7	8	9	10	11	12
		월요일		수요일		금요일	

3. 생일이 언제예요? 다음과 같이 친구와 이야기해 보세요.

수지 씨, 생일이 언제예요?

시월 오일이에요.

	이름	생일
1)	수지	10월 5일
2)	안나	1월 16일
3)	재민	6월 22일
4)		

에

가: 언제 유진 씨를 만나요?

나: 주말에 만나요.

가: 수요일에 한국어 수업이 있어요?

나: 네. 있어요.

---

1. 그림을 보고 대화를 완성해 보세요.

언제 수지 씨를
만나요?

칠월 삼십일에
만나요.

1) 가: 언제 여행을 가요?

　　나: ＿＿＿＿＿＿＿＿＿＿ 가요.

2) 가: 며칠에 사진을 찍어요?

　　나: ＿＿＿＿＿＿＿＿＿＿ 찍어요.

3) 가: 언제 요리를 배워요?

　　나: ＿＿＿＿＿＿＿＿＿＿ 배워요.

4) 가: 토요일에 운동을 해요?

　　나: 아니요. ＿＿＿＿＿＿＿＿ 해요.

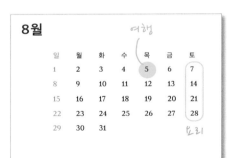

8월

일	월	화	수	목	금	토
1	2	3	4	5	6	7
8	9	10	11	12	13	14
15	16	17	18	19	20	21
22	23	24	25	26	27	28
29	30	31				

여행 / 요리

10월

일	월	화	수	목	금	토
					1	2
3	4	5	6	7	8	9
10	11	12	13	14	15	16
17	18	19	20	21	22	23
24	25	26	27	28	29	30
31						

운동 / 사진

---

2. 다음과 같이 친구와 이야기해 보세요.

안나 씨는 월요일에 뭐 해요?

도서관에 가요. 수지 씨는 월요일에 뭐 해요?

저는 친구를 만나요.

		안나	수지
1)	월	도서관	친구
2)	화	친구 집	
3)	수		아르바이트
4)	목	세종학당	영화
5)	금	영화	수영

새 어휘 | 주말 / 수업 / 여행 / 며칠 / 사진 / 찍다 / 배우다 / 도서관 / 아르바이트 / 수영

○시 ○분

시간을 나타낼 때 사용해요. '시' 앞에는
고유어 수(한, 두, 세⋯)를, '분' 앞에는
한자어 수(일, 이, 삼⋯)를 사용해요.

1A
7과

가 : 지금 몇 시예요?

나 : 일곱 시 삼십 분이에요.

가 : 언제 점심을 먹어요?

나 : 열두 시에 점심을 먹어요.

1. 그림을 보고 대화를 완성해 보세요.

18	19	
	9:00	회사
	12:00	점심 식사
	14:20	회의
	18:15	저녁 식사 (안나)
	20:00	운동

언제 회사에 가요?

아홉 시에 회사에 가요.

1) 가 : 몇 시에 점심을 먹어요?

　 나 : _____ 에 점심을 먹어요.

2) 가 : 몇 시에 회의를 해요?

　 나 : _____ 에 회의를 해요.

3) 가 : 언제 안나 씨를 만나요?

　 나 : _____ 에 안나 씨를 만나요.

4) 가 : 오늘 운동을 해요?

　 나 : 네. _____ 에 운동을 해요.

2. 친구들은 오늘 오후에 무엇을 해요? 다음과 같이 친구와 이야기해 보세요.

수지 씨, 오늘 오후에 뭐 해요?　　　도서관에 가요.　　　몇 시에 가요?　　　세 시에 가요.

	이름	12시	1시	2시	3시	4시	5시	6시	7시	8시	9시
1)	수지	점심	친구			도서관		아르바이트		저녁	드라마
2)											
3)											

세종학당 수업

03

1. 재민 씨와 안나 씨가 세종학당 수업 이야기를 해요. 두 사람은 무슨 이야기를 할까요?

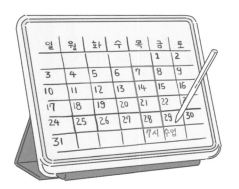

재민: 안나 씨, 언제 세종학당에 가요?

안나: 목요일에 가요.

재민: 수업은 몇 시에 시작해요?

안나: 저녁 일곱 시에 시작해요.

1) 안나 씨는 언제 세종학당에 가요?

2) 세종학당 수업은 몇 시에 있어요?

2. 언제, 무엇을 해요? 다음과 같이 친구와 이야기해 보세요.

> 안나 씨, 언제 아르바이트를 해요? 금요일에 해요.

> 몇 시에 해요? 아침 열 시에 해요.

	무엇	언제
1)	아르바이트를 하다	금요일, 아침 10시
2)	요리를 배우다	목요일, 저녁 7시
3)	여행을 가다	토요일, 아침 9시
4)		

새 어휘 | 시작하다 / 아침

활동 2

주노 씨의 하루

1. 주노 씨의 하루를 소개하는 글이에요. 주노 씨는 오늘 무엇을 할까요?

아침				점심	저녁	
6시	7시	8시	10시	12시	7시	9시

주노 씨는 회사에 다녀요. 매일 여섯 시에 일어나요. 일곱 시에 아침을 먹어요.

오늘은 여덟 시에 회사에 가요. 열 시에 회의를 해요. 열두 시에 점심을 먹어요.

오늘 저녁 일곱 시에는 친구 생일 파티가 있어요. 친구들하고 같이 밥을 먹어요.

아홉 시에 집에 와요.

⊕ **더 알아봐요**

'하고'는 명사에 붙어서
'함께'의 뜻을 나타내요.

1) 주노 씨는 언제 회사에 가요?

2) 주노 씨는 저녁 일곱 시에 무엇을 해요?

2. 여러분은 언제, 무엇을 해요? 여러분의 하루를 써 보세요.

어휘와 표현	일월 / 이월 / 삼월 / 사월 / 오월 / 유월 /
	칠월 / 팔월 / 구월 / 시월 / 십일월 / 십이월

일일 / 이일 / 삼일 / 사일 / 오일 /
육일 / 칠일 / 팔일 / 구일 / 십일 /
십일일 / 십이일 / 십삼일 / 십사일 / 십오일 /
십육일 / 십칠일 / 십팔일 / 십구일 / 이십일 /
이십일일 / 이십이일 / 이십삼일 / 이십사일 /
이십오일 / 이십육일 / 이십칠일 / 이십팔일 /
이십구일 / 삼십일 / 삼십일일 /
월요일 / 화요일 / 수요일 / 목요일 / 금요일 /
토요일 / 일요일

문법 　 에
주말에 만나요.

○ 시 ○ 분
일곱 시 삼십 분이에요.

자기
점검

1. 날짜와 시간을 묻고 답할 수 있어요?
2. 자신의 하루를 말할 수 있어요?

날씨가 더워요?

날씨와 계절을 묻고 답할 수 있어요.

서울의 날씨가 어때요?

14°

강수 확률 : 0%
습도: 40%
풍속: 5km/h

대한민국 서울특별시
23시
맑음

| 14° | 13° | 14° | 14° | 15° | 17° | 16° | 14° |

(기온)

| **23시** | 2시 | 5시 | 8시 | 11시 | 14시 | 17시 | 20시 |

| 일 | 월 | 화 | 수 | 목 | 금 | 토 |

| 23° 13° | 17° 9° | 23° 9° | 22° 11° | 17° 10° | 24° 14° | 25° 14° |

여러분이 사는 곳의
요즘 날씨는 어때요?

날씨와 계절

1. 알고 있는 날씨 표현에 √ 표시를 해 보세요. 그리고 듣고 따라 해 보세요.

☐ 맑아요　　☐ 흐려요　　☐ 바람이 불어요　　☐ 비가 와요　　☐ 눈이 와요

☐ 따뜻해요　　☐ 더워요　　☐ 시원해요　　☐ 쌀쌀해요　　☐ 추워요

2. 한국에는 사계절이 있어요. 알맞은 것을 연결하고 듣고 따라 해 보세요.

1) 봄　　　　　2) 여름　　　　　3) 가을　　　　　4) 겨울

3. 주말의 날씨가 어때요? 다음과 같이 친구와 이야기해 보세요.

이번 주말에 날씨가 어때요?

날씨가 맑아요. 따뜻해요.

1)　　　　　　2)

안

가: 서울은 날씨가 좋아요?
나: 아니요. 안 좋아요. 비가 와요.

가: 오늘 운동해요?
나: 아니요. 운동 안 해요.

1. 다음과 같이 대화를 완성해 보세요.

오늘 친구를 만나요?

아니요. 안 만나요.

1) 가: 오늘 영화를 봐요?
　　나: 아니요. _____.

2) 가: 주말에 공원에 가요?
　　나: 아니요. _____.

3) 가: 오늘 바빠요?
　　나: 아니요. _____.

4) 가: 일요일에 쇼핑해요?
　　나: 아니요. _____.

2. 다음과 같이 친구와 이야기해 보세요.

여름을 좋아해요?　　　아니요. 안 좋아해요. 겨울을 좋아해요.

	질문	나		
1)	여름을 좋아해요?	여름(×) 겨울(○)		
2)	바나나를 사요?	바나나(×) 딸기(○)		
3)	날씨가 좋아요?	좋아요(×) 흐려요(○)		
4)				

새 어휘 | 서울 / 좋다 / 바쁘다 / 딸기

문법 2

'ㅂ' 받침이 있는 몇몇 동사나 형용사 뒤에
모음이 오면 'ㅂ'이 '우'로 바뀌는 현상이에요.
'우+어요'는 '워요'가 돼요.

1A

8과

ㅂ 불규칙

가 : 날씨가 어때요?
나 : 좀 추워요.

가 : 가방이 무거워요?
나 : 아니요. 가벼워요.

---

1. 그림을 보고 대화를 완성해 보세요.

요즘 날씨가 어때요?

좀 더워요.

(덥다)

1) 가 : 한국은 겨울 날씨가 어때요?
   나 : _____ . (춥다)

2) 가 : 공부가 어려워요?
   나 : 아니요. _____ . (쉽다)

3) 가 : 김치가 어때요?
   나 : 맛있어요. 그런데 좀 _____ . (맵다)

4) 가 : 가방이 무거워요?
   나 : 네. 아주 _____ . (무겁다)

---

2. 다음과 같이 친구와 이야기해 보세요.

책이 어려워요.

		나					
1)	책	☐ 쉽다	☑ 어렵다	☐ 쉽다	☐ 어렵다	☐ 쉽다	☐ 어렵다
2)	고향 날씨	☐ 덥다	☑ 춥다	☐ 덥다	☐ 춥다	☐ 덥다	☐ 춥다
3)	의자	☑ 무겁다	☐ 가볍다	☐ 무겁다	☐ 가볍다	☐ 무겁다	☐ 가볍다
4)							

새 어휘 | 좀 / 무겁다 / 가볍다 / 요즘 / 쉽다 / 어렵다 / 그런데 / 맵다 / 아주 / 고향

95

서울과 부산의 날씨

1. 민호 씨와 지은 씨가 날씨 이야기를 해요. 두 사람은 무슨 이야기를 할까요?

민호: 지은 씨, 잘 지내요?

지은: 네. 잘 지내요. 부산은 날씨가 더워요?

민호: 아니요. 여기는 안 더워요. 요즘 비가 자주 와요. 지은 씨, 서울은 어때요?

지은: 여기는 정말 더워요.

1) 민호 씨는 지금 어디에 있어요? 거기는 날씨가 어때요?

2) 서울의 날씨는 어때요?

---

2. 다음과 같이 친구와 이야기해 보세요.

부산은 날씨가 추워요?

아니요. 여기는 안 추워요.
요즘 날씨가 따뜻해요.
서울은 어때요?

여기는 좀 추워요.
바람이 많이 불어요.

	도시	날씨	
1)	부산	🌡️ 15°	●
	서울	🌡️ 6°	〰️
2)	하노이	🌡️ 40°	
	시드니	🌡️ -4°	❄️
3)	모스크바	🌡️ 17°	
	자카르타	🌡️ 35°	☂️
4)			

발음 🔊

안 더워요
[안더워요]

'안'은 띄어 쓰지만 끊어 읽지 않고 자연스럽게 붙여 읽어요.

듣고 따라 해 보세요.

○ 지금은 비가 **안 와요**.
○ 저는 여름을 **안 좋아해요**.

새 어휘 | 부산 / 잘 / 지내다 / 자주 / 거기 / 많이 / 도시 / 하노이 / 시드니 / 모스크바 / 자카르타

제주도의 사계절

1. 수지 씨가 제주도의 사계절을 소개해요. 제주도는 어떤 곳일까요?

제 고향은 제주도예요. 봄은 아주 따뜻해요. 꽃이
예뻐요. 여름은 더워요. 바다에 가요. 수영을 해요.
가을은 시원해요. 한라산의 단풍이 예뻐요. 겨울은
많이 안 추워요. 그렇지만 바람이 많이 불어요. 제주도는
지금 가을이에요. 정말 아름다워요.

1) 제주도의 사계절은 어때요? 정리해 보세요.

봄   따뜻해요.   여름

가을   겨울

2) 제주도는 지금 무슨 계절이에요?

---

2. 여러분의 고향은 날씨가 어때요? 써 보세요.

어휘와 표현	맑아요 / 흐려요 / 바람이 불어요 / 비가 와요 / 눈이 와요 / 따뜻해요 / 더워요 / 시원해요 / 쌀쌀해요 / 추워요 / 봄 / 여름 / 가을 / 겨울
문법	안 서울은 날씨가 안 좋아요. ㅂ 불규칙 날씨가 좀 추워요.

자기
점검

1. 날씨와 계절을 묻고 답할 수 있어요?
2. 고향의 날씨가 어떤지 말할 수 있어요?

공원에서 산책했어요

주말에 한 일을 묻고 답할 수 있어요.

한국 사람들은 주말에
무엇을 해요?

여러분은 주말에
보통 무엇을 해요?

주말 활동

1. 주말에 어디에 가요? √ 표시를 해 보세요. 그리고 듣고 따라 해 보세요.

□ 영화관

□ 미용실

□ 백화점

□ 놀이공원

□ 도서관

□ 노래방

□ 박물관

□ 수영장

2. 주말에 무엇을 해요? √ 표시를 해 보세요. 그리고 듣고 따라 해 보세요.

□ 산책해요

□ 구경해요

□ 영화를 봐요

□ 수영을 해요

□ 쇼핑을 해요

□ 게임을 해요

□ 자전거를 타요

□ 드라마를 봐요

3. 주말에 무엇을 해요? 알맞은 것을 연결하고 다음과 같이 친구와 이야기해 보세요.

주말에 뭐 해요?

카페에 가요. 친구를 만나요.

카페 •

| 수영을 하다 |

| 쇼핑을 하다 |

| 드라마를 보다 |

| 자전거를 타다 |

| 영화를 보다 |

| 구경하다 |

| 노래를 하다 |

| 친구를 만나다 |

노래방 •

박물관 •

공원 •

• 수영장

• 영화관

• 백화점

• 집

문법
1

에서

명사 뒤에 붙어서 동작이
이루어지고 있는 장소를 나타내요.

가: 주노 씨, 지금 뭐 해요?

나: 집에서 청소해요.

가: 마리 씨는 지금 어디에 있어요?

나: 회사에서 일해요.

1. 그림을 보고 이야기해 보세요.

오후에 뭐 해요?

영화관에서 영화를 봐요.

1)

2)

3)

4)

2. 주말에 어디에서 무엇을 해요? 다음과 같이 친구와 이야기해 보세요.

주말에 어디에 가요?

공원에 가요.

공원에서 뭐 해요?

자전거를 타요.

	어디에 가요?	뭐 해요?
1)	공원	자전거를 타다
2)	백화점	쇼핑을 하다
3)	카페	친구를 만나다
4)		

새 어휘 | 청소하다

가: 토요일에 뭐 했어요?

나: 도서관에서 책을 읽었어요.

가: 어제 날씨가 어땠어요?

나: 아주 좋았어요.

1. 그림을 보고 대화를 완성해 보세요.

아침에 뭐 먹었어요?

우유를 마셨어요.

(마시다)

1) (쉬다)

가: 어제 수영을 했어요?

나: 아니요. 집에서 _____.

2) (만들다)

가: 주말에 뭐 했어요?

나: 친구하고 같이 김밥을 _____.

3) (만나다)

가: 어제 오후에 뭐 했어요?

나: 친구를 _____.

4) (덥다)

가: 어제 부산은 날씨가 시원했어요?

나: 아니요. 날씨가 _____.

2. 다음과 같이 친구와 이야기해 보세요.

토요일에 뭐 했어요?

바다에서 수영을 했어요.
아주 재미있었어요.

	뭐 했어요?	어땠어요?
1)	바다에서 수영을 하다	재미있다
2)	집에서 쉬다	좋다
3)	식당에서 불고기를 먹다	맛있다
4)		

새 어휘 | 어제 / 쉬다 / 만들다 / 재미있다

103

주노 씨와 안나 씨의 주말

1. 주노 씨와 안나 씨가 지난 주말에 한 일을 이야기하고 있어요. 두 사람은 무슨 이야기를 할까요?
03

주노: 안나 씨, 토요일에 뭐 했어요?

안나: 친구하고 공원에서 산책했어요. 주노 씨는요?

주노: 저는 집에서 영화 〈사랑〉을 봤어요.

안나: 영화가 어땠어요?

주노: 아주 재미있었어요.

1) 안나 씨는 토요일에 무엇을 했어요?

2) 주노 씨는 토요일에 무엇을 했어요?

---

2. 주말에 무엇을 했어요? 다음과 같이 친구와 이야기해 보세요.

안나 씨, 일요일에 뭐 했어요?

공원에서 자전거를 탔어요.
주노 씨는요?

친구가 우리 집에 왔어요.
친구하고 집에서 놀았어요.

	이름	뭐 했어요?
1)	안나 주노	
2)	마리 유진	
3)	수지 재민	
4)		

새 어휘 | 사랑 / 우리 / 놀다

나의 주말 이야기

1. 유진 씨가 주말에 한 일을 썼어요. 유진 씨는 주말에 무엇을 했을까요?

토요일에 친구를 만났어요. 고향 친구가 우리 집에 왔어요. 친구하고 영화관에 갔어요. 같이 영화를 봤어요. 영화가 재미 있었어요. 일요일에는 날씨가 시원했어요. 세종학당 친구하고 공원에서 자전거를 탔어요. 기분이 아주 좋았어요.

1) 유진 씨는 토요일에 무엇을 했어요?

2) 유진 씨는 일요일에 누구를 만났어요?

2. 여러분은 주말에 어디에 갔어요? 거기에서 무엇을 했어요? 써 보세요.

어휘와 표현	영화관 / 미용실 / 백화점 / 놀이공원 /
	도서관 / 노래방 / 박물관 / 수영장 /
	산책해요 / 구경해요 / 영화를 봐요 /
	수영을 해요 / 쇼핑을 해요 /
	게임을 해요 / 자전거를 타요 /
	드라마를 봐요

문법	에서
	회사에서 일해요.
	-았/었-
	도서관에서 책을 읽었어요.

자기
점검

1. 장소와 주말 활동을 말할 수 있어요?
2. 주말에 한 일을 묻고 답할 수 있어요?

우리 같이
놀이공원에 갈까요?

다른 사람과 약속을 할 수 있어요.

손동작을 따라 해 보세요.
무슨 의미일까요?

여러분은
어떤 몸짓 언어를
알아요?

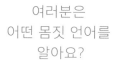

약속

1. 친구와 약속을 해요. 다음을 듣고 따라 해 보세요.

오늘 시간이 있어요?

시간이 있어요.

특별한 일이 없어요.

시간이 없어요.

다른 약속이 있어요.

오늘은 바빠요.

2. 여러분은 친구하고 어떤 약속을 해요? 알맞은 것을 연결하고 다음과 같이 이야기해 보세요.

친구하고 영화를 봐요.

영화 콘서트 축구 경기	농구 수영 게임	커피 차 음료수	여행 등산	점심 저녁 불고기

가다	하다	마시다	보다	먹다

3. 이번 주말에 누구하고 무엇을 해요? 다음과 같이 친구와 이야기해 보세요.

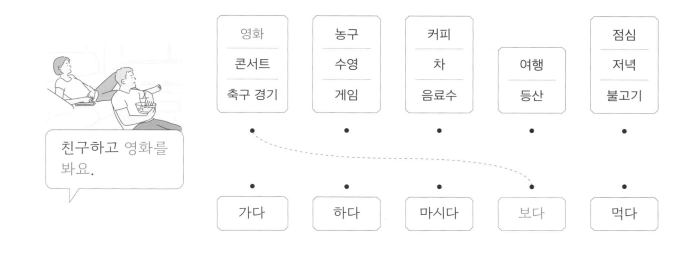

주노 씨, 이번 주말에 약속이 있어요?

네. 있어요. 친구하고 여행을 가요.

	누구	약속
1)	친구	여행을 가다
2)	반 친구	한강공원에 가다
3)	동생	등산을 가다
4)		

-고 싶다

동사 뒤에 붙어서 원하거나 바라는 일을 나타내요. 그리고 주어가 다른 사람일 때는 '-고 싶어 하다'를 사용해요.

가 : 저녁에 뭘 먹고 싶어요?
나 : 한국 음식을 먹고 싶어요.

가 : 안나 씨는 어디에 가고 싶어 해요?
나 : 안나 씨는 제주도에 가고 싶어 해요.

---

1. 다음과 같이 이야기해 보세요.

(운동화)

뭘 사고 싶어요?

저는 운동화를 사고 싶어요.

1) (한국)
가 : 방학에 어디에 가고 싶어요?
나 : 저는 _____.

2) (비빔밥)
가 : 오늘 뭘 먹고 싶어요?
나 : 저는 _____.

3) (낚시)
가 : 재민 씨는 주말에 뭘 하고 싶어 해요?
나 : 재민 씨는 _____.

4) (여행)
가 : 수지 씨는 지금 뭘 하고 싶어 해요?
나 : 수지 씨는 _____.

---

2. 여러분은 주말에 무엇을 하고 싶어요? 친구와 이야기해 보세요.

	질문	나	친구
1)	어디에 가고 싶어요?		
2)	뭘 하고 싶어요?		
3)	누구를 만나고 싶어요?		
4)	뭘 먹고 싶어요?		

새 어휘 | 음식 / 운동화 / 방학 / 비빔밥 / 낚시

-(으)ㄹ까요?

동사 뒤에 붙여서 어떤 행동에 대해
상대방의 의견을 물을 때 사용해요.

가 : 여기에서 사진을 찍을까요?
나 : 네. 그래요.

가 : 주말에 같이 자전거를 탈까요?
나 : 네. 좋아요.

1. 알맞은 것을 골라 다음과 같이 대화를 완성해 보세요.

배우다   보다   산책하다

앉다   하다

이번 방학에 같이
태권도를 배울까요?

네. 좋아요.

1) 가 : 여기에 _____ ?
   나 : 네. 그래요.

2) 가 : 재민 씨, 주말에 농구를 _____ ?
   나 : 네. 좋아요.

3) 가 : 이번 주말에 같이 영화를 _____ ?
   나 : 네. 좋아요. 저도 영화를 보고 싶어요.

4) 가 : 밥 다 먹었어요? 우리 _____ ?
   나 : 네. 좋아요. 저도 좀 걷고 싶어요.

2. 오늘 오후에 무엇을 해요? 다음과 같이 친구와 이야기해 보세요.

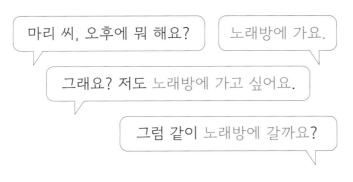

마리 씨, 오후에 뭐 해요?   노래방에 가요.

그래요? 저도 노래방에 가고 싶어요.

그럼 같이 노래방에 갈까요?

1)
노래방

2)
공원

3)
쇼핑몰

4)
도서관

5)
수영장

6)

유진 씨와 안나 씨의 약속

1. 유진 씨와 안나 씨가 약속을 해요. 무슨 약속을 할까요?

유진: 안나 씨, 내일 놀이공원에 갈까요?

안나: 좋아요. 저도 놀이공원에 가고 싶어요.

유진: 몇 시에 만날까요?

안나: 두 시가 어때요?

유진: 그래요. 놀이공원 앞에서 만날까요?

안나: 네. 좋아요.

1) 두 사람은 어디에 가요?

2) 두 사람이 약속한 내용을 메모해 보세요.

약속 시간: 약속 장소:

2. 다음과 같이 친구와 이야기해 보세요.

내일 한강공원에 갈까요?

　　좋아요. 저도 한강공원에 가고 싶어요.

그럼 몇 시에 만날까요?

　　　세 시가 어때요?

그래요. 한강공원 앞에서 만날까요?

　　　네. 좋아요.

약속	날짜	내용	시간	장소
1)	내일	한강공원에 가다	3시	한강공원 앞
2)	오늘 저녁	수영을 하다	7시	수영장 앞
3)	이번 주 금요일	같이 공부하다	1시 30분	도서관 앞
4)				

발음 🔊

좋아요
[조아요]

받침 'ㅎ' 뒤에 모음이 오면 'ㅎ'은 발음하지 않아요.

듣고 따라 해 보세요.

o 운동을 **좋아해요**.

o 사람이 **많아요**.

새 어휘 | 내용 / 메모 / 주

주말 약속

1. 마리 씨가 안나 씨에게 메시지를 보냈어요. 무슨 말을 했을까요?

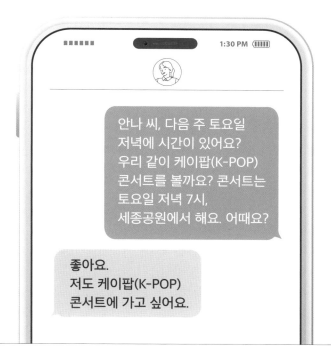

안나 씨, 다음 주 토요일 저녁에 시간이 있어요? 우리 같이 케이팝(K-POP) 콘서트를 볼까요? 콘서트는 토요일 저녁 7시, 세종공원에서 해요. 어때요?

좋아요. 저도 케이팝(K-POP) 콘서트에 가고 싶어요.

1) 두 사람은 주말에 뭐 해요?

2) 콘서트는 언제, 어디에서 해요?

2. 친구하고 어디에 같이 가고 싶어요? 친구에게 보내는 메시지를 써 보세요.

어휘와 표현	시간이 있어요, 없어요 / 특별한 일이 없어요 / 다른 약속이 있어요 / 오늘은 바빠요 / 영화 / 콘서트 / 축구 / 경기 / 공원 / 바다 / 농구 / 수영 / 게임 / 커피 / 차 / 음료수 / 여행 / 등산 / 점심 / 저녁 / 불고기
문법	-고 싶다 한국 음식을 먹고 싶어요. -(으)ㄹ까요? 주말에 같이 자전거를 탈까요?

자기
점검

1. 다른 사람에게 약속을 제안할 수 있어요?
2. 다른 사람의 약속 제안을 수락할 수 있어요?

부록

듣기 지문
1A

입문 🔊 한글을 배워요

I. 한글의 모음과 자음

| 1. 모음과 자음 연습 —1 | 1) 모음 연습 1_(1)번 | 18쪽 |

듣고 따라 해 보세요.

아 어 오 우 으 이 애 에

| 1. 모음과 자음 연습 —1 | 1) 모음 연습 1_(4)번 | 19쪽 |

잘 듣고 맞는 것을 고르세요.

① 아   ② 우   ③ 이   ④ 애   ⑤ 오   ⑥ 으   ⑦ 에

| 1. 모음과 자음 연습 —1 | 2) 자음 연습 1_(1)번 | 20쪽 |

듣고 따라 해 보세요.

가 나 다 라 마 바 사 아 자 하

| 1. 모음과 자음 연습 —1 | 2) 자음 연습 1_(4)번 | 21쪽 |

잘 듣고 맞는 것을 고르세요.

① 가   ② 러   ③ 도   ④ 무   ⑤ 흐   ⑥ 지
⑦ 내   ⑧ 데   ⑨ 부   ⑩ 소

| 2. 모음과 자음 연습 —2 | 1) 모음 연습 2_(1)번 | 22쪽 |

듣고 따라 해 보세요.

야 여 요 유 얘 예 와 왜 외 워 웨 위 의

| 2. 모음과 자음 연습 —2 | 1) 모음 연습 2_(4)번 | 23쪽 |

잘 듣고 맞는 것을 고르세요.

① 야   ② 요   ③ 얘   ④ 와   ⑤ 웨   ⑥ 워
⑦ 왜   ⑧ 유   ⑨ 위   ⑩ 의

| 2. 모음과 자음 연습 —2 | 2) 자음 연습 2_(1)번 | 24쪽 |

듣고 따라 해 보세요.

카 타 파 차 까 따 빠 싸 짜

| 2. 모음과 자음 연습 —2 | 2) 자음 연습 2_(4)번 | 25쪽 |

잘 듣고 맞는 것을 고르세요.

① 카 ② 터 ③ 보 ④ 추 ⑤ 쌔 ⑥ 그 ⑦ 띠 ⑧ 패

| 3. 받침 | 2) 받침 연습_(1)번 | 26쪽 |

듣고 따라 해 보세요.

악 안 앝 알 암 압 앙

II. 한글 연습

| 1. 한글 연습 1 | (2)번 | 28쪽 |

잘 듣고 맞는 단어를 써 보세요.

① 구두   ② 노래   ③ 바지   ④ 어머니

| 2. 한글 연습 2 | (2)번 | 29쪽 |

잘 듣고 맞는 단어를 써 보세요.

① 코   ② 파티   ③ 토끼   ④ 기차표

| 3. 한글 연습 3 | (2)번 | 30쪽 |

포스터의 제목을 듣고 맞는 번호와 연결하세요.

① 괴물   ② 오징어 게임   ③ 기생충

III. 한국어 인사

| 31쪽 |

안녕하세요? / 안녕하세요?
안녕히 가세요. / 안녕히 계세요.
미안합니다. / 죄송합니다.
고맙습니다. / 감사합니다.

IV. 교실에서 쓰는 한국어

| 32~33쪽 |

보세요.   들으세요.
따라 하세요.   읽으세요.
쓰세요.   책을 펴세요.

질문 있어요?　　　　　　대답하세요.
알겠어요.　　　　　　　모르겠어요.
네.　　　　　　　　　　아니요.

01 🔊 안녕하세요? 저는 안나예요

어휘와 표현 ┃ 1번 ┃ 37쪽

어느 나라 사람이에요? 다음을 듣고 따라 해 보세요.

1) 한국 사람　　　　　　2) 캐나다 사람
3) 베트남 사람　　　　　4) 미국 사람
5) 프랑스 사람　　　　　6) 태국 사람
7) 인도네시아 사람　　　8) 중국 사람
9) 일본 사람　　　　　　10) 러시아 사람
11) 케냐 사람

어휘와 표현 ┃ 2번 ┃ 37쪽

직업이 뭐예요? 다음을 듣고 따라 해 보세요.

1) 회사원　　2) 대학생　　3) 의사　　4) 경찰
5) 선생님　　6) 가수　　7) 요리사

활동 1 ┃ 1번 ┃ 40쪽

안나 씨와 주노 씨가 처음 만나서 인사해요. 두 사람의 직업은 무엇일까요?

안나: 안녕하세요? 저는 안나예요.
주노: 안녕하세요? 저는 주노예요.
　　　안나 씨는 학생이에요?
안나: 네. 학생이에요. 주노 씨는요?
주노: 저는 회사원이에요.

02 🔊 전화번호가 뭐예요?

어휘와 표현 ┃ 1번 ┃ 45쪽

숫자예요. 다음을 듣고 따라 해 보세요.

영/공 일 이 삼 사 오 육 칠 팔 구 십
십일 십이 십삼 십사 십오 십육 십칠 십팔 십구 이십
십 　이십 삼십 사십 오십 육십 칠십 팔십 구십 백

활동 1 ┃ 1번 ┃ 48쪽

재민 씨가 안나 씨 전화번호를 묻고 있어요. 안나 씨 전화번호는 몇 번일까요?

재민: 안나 씨, 전화번호가 뭐예요?
안나: 제 전화번호는 010-1359-6783이에요.

재민: 010-1359-6784, 맞아요?
안나: 6784가 아니에요. 6783이에요.

03 🔊 제 가방은 책상 옆에 있어요

어휘와 표현 ┃ 1번 ┃ 53쪽

교실에 무엇이 있어요? √ 표시를 해 보세요. 그리고 듣고 따라 해 보세요.

책　책상　의자　가방　필통　시계

어휘와 표현 ┃ 2번 ┃ 53쪽

어디에 있어요? 다음을 듣고 따라 해 보세요.

1) 의자 앞　　　　　　2) 의자 뒤
3) 의자 위　　　　　　4) 의자 아래/의자 밑
5) 의자 옆(오른쪽)　　6) 의자 옆(왼쪽)
7) 의자 사이　　　　　8) 집 안
9) 집 밖

활동 1 ┃ 1번 ┃ 56쪽

안나 씨와 유진 씨가 가방 이야기를 하고 있어요. 대화를 듣고 다음 물음에 답해 보세요.

안나: 이 가방이 유진 씨 가방이에요?
유진: 아니요. 제 가방은 책상 옆에 있어요.
안나: 그럼 누구 가방이에요?
유진: 그 가방은 마리 씨 가방이에요.

04 🔊 한국어를 공부해요

어휘와 표현 ┃ 1번 ┃ 61쪽

오늘 무엇을 해요? √ 표시를 해 보세요. 그리고 듣고 따라 해 보세요.

☐ 먹어요　☐ 읽어요　☐ 봐요　☐ 마셔요　☐ 들어요
☐ 만나요　☐ 자요　☐ 일해요　☐ 요리해요　☐ 공부해요

활동 1 ┃ 1번 ┃ 64쪽

재민 씨와 마리 씨가 오늘 일을 이야기해요. 두 사람은 무슨 이야기를 할까요?

재민: 마리 씨, 오늘 뭐 해요?
마리: 한국어를 공부해요.
　　　재민 씨는 뭐 해요?
재민: 저는 친구를 만나요.
　　　한국 영화를 봐요.

05 🔊 빵하고 우유를 사요

어휘와 표현 | 1번 | 69쪽

어디에 자주 가요? √ 표시를 해 보세요. 그리고 듣고 따라 해 보세요.

□ 학교 □ 회사 □ 식당 □ 카페 □ 공원 □ 마트

어휘와 표현 | 2번 | 69쪽

무엇을 좋아해요? √ 표시를 해 보세요. 그리고 듣고 따라 해 보세요.

□ 빵 □ 라면 □ 과일 □ 커피
□ 차 □ 우유 □ 과자 □ 아이스크림

활동 1 | 1번 | 72쪽

안나 씨와 주노 씨가 이야기해요. 두 사람은 무슨 이야기를 할까요?

안나: 주노 씨, 어디에 가요?

주노: 마트에 가요.

안나: 뭘 사요?

주노: 빵하고 우유를 사요.

06 🔊 사과 다섯 개 주세요

어휘와 표현 | 1번 | 77쪽

숫자예요. 다음을 듣고 따라 해 보세요.

하나/한 개	둘/두 개	셋/세 개	넷/네 개
다섯/다섯 개	여섯/여섯 개	일곱/일곱 개	
여덟/여덟 개	아홉/아홉 개	열/열 개	
열하나/열한 개	열둘/열두 개 ⋯	스물/스무 개	

서른	마흔	쉰	예순
일흔	여든	아흔	백

활동 1 | 1번 | 80쪽

안나 씨가 과일 가게에 가요. 무슨 이야기를 할까요?

주인: 어서 오세요.

안나: 이 사과 얼마예요?

주인: 이천 원이에요.

안나: 그럼 다섯 개 주세요.

주인: 여기 있어요.

07 🔊 일곱 시에 시작해요

어휘와 표현 | 1번 | 85쪽

달력의 날짜를 읽을 수 있어요? 다음을 듣고 따라 해 보세요.

1 일월   2 이월   3 삼월   4 사월

5 오월   6 유월   7 칠월   8 팔월
9 구월   10 시월   11 십일월   12 십이월

일일   이일   삼일   사일   오일
육일   칠일   팔일   구일   십입   십일일   십이일
십삼일   십사일   십오일   십육일   십칠일   십팔일   십구일
이십일   이십일일   이십이일   이십삼일   이십사일   이십오일
이십육일   이십칠일   이십팔일   이십구일   삼십일   삼십일일

어휘와 표현 | 2번 | 85쪽

빈칸에 들어갈 요일을 찾아 써 보세요. 그리고 듣고 따라 해 보세요.

일요일   월요일   화요일   수요일   목요일   금요일   토요일

활동 1 | 1번 | 88쪽

재민 씨와 안나 씨가 세종학당 수업 이야기를 해요. 두 사람은 무슨 이야기를 할까요?

재민: 안나 씨, 언제 세종학당에 가요?

안나: 목요일에 가요.

재민: 수업은 몇 시에 시작해요?

안나: 저녁 일곱 시에 시작해요.

08 🔊 날씨가 더워요?

어휘와 표현 | 1번 | 93쪽

알고 있는 날씨 표현에 √ 표시를 해 보세요. 그리고 듣고 따라 해 보세요.

□ 맑아요 □ 흐려요 □ 바람이 불어요 □ 비가 와요 □ 눈이 와요
□ 따뜻해요 □ 더워요 □ 시원해요 □ 쌀쌀해요 □ 추워요

어휘와 표현 | 2번 | 93쪽

한국에는 사계절이 있어요. 알맞은 것을 연결하고 듣고 따라 해 보세요.

1) 봄   2) 여름   3) 가을   4) 겨울

활동 1 | 1번 | 96쪽

민호 씨와 지은 씨가 날씨 이야기를 해요. 두 사람은 무슨 이야기를 할까요?

민호: 지은 씨, 잘 지내요?

지은: 네. 잘 지내요. 부산은 날씨가 더워요?

민호: 아니요. 여기는 안 더워요. 요즘 비가 자주 와요. 지은 씨, 서울은 어때요?

지은: 여기는 정말 더워요.

09 🔊 공원에서 산책했어요

어휘와 표현 | 1번 | 101쪽

주말에 어디에 가요? √ 표시를 해 보세요. 그리고 듣고 따라 해 보세요.

☐ 영화관 ☐ 미용실 ☐ 백화점 ☐ 놀이공원
☐ 도서관 ☐ 노래방 ☐ 박물관 ☐ 수영장

어휘와 표현 | 2번 | 101쪽

주말에 무엇을 해요? √ 표시를 해 보세요. 그리고 듣고 따라 해 보세요.

☐ 산책해요   ☐ 구경해요   ☐ 영화를 봐요
☐ 수영을 해요   ☐ 쇼핑을 해요
☐ 게임을 해요   ☐ 자전거를 타요   ☐ 드라마를 봐요

활동 1 | 1번 | 104쪽

주노 씨와 안나 씨가 지난 주말에 한 일을 이야기하고 있어요. 두 사람은 무슨 이야기를 할까요?

주노: 안나 씨, 토요일에 뭐 했어요?
안나: 친구하고 공원에서 산책했어요. 주노 씨는요?
주노: 저는 집에서 영화 〈사랑〉을 봤어요.
안나: 영화가 어땠어요?
주노: 아주 재미있었어요.

10 🔊 우리 같이 놀이공원에 갈까요?

어휘와 표현 | 1번 | 109쪽

친구와 약속을 해요. 다음을 듣고 따라 해 보세요.

오늘 시간이 있어요?   시간이 있어요.
                        특별한 일이 없어요.

오늘 시간이 있어요?   시간이 없어요.
                        다른 약속이 있어요.
                        오늘은 바빠요.

활동 1 | 1번 | 112쪽

유진 씨와 안나 씨가 약속을 해요. 무슨 약속을 할까요?

유진: 안나 씨, 내일 놀이공원에 갈까요?
안나: 좋아요. 저도 놀이공원에 가고 싶어요.
유진: 몇 시에 만날까요?
안나: 두 시가 어때요?
유진: 그래요. 놀이공원 앞에서 만날까요?
안나: 네. 좋아요.

모범 답안 ─── 1A

입문 ✏️ 한글을 배워요

I. 한글의 모음과 자음

1. 모음과 자음 연습 ─1 | 1) 모음 연습 1_(4)번 | 19쪽

① 아   ② 우   ③ 이   ④ 애
⑤ 오   ⑥ 으   ⑦ 에

1. 모음과 자음 연습 ─1 | 2) 자음 연습 1_(4)번 | 21쪽

① 가   ② 러   ③ 도   ④ 무
⑤ 흐   ⑥ 지   ⑦ 내   ⑧ 데
⑨ 부   ⑩ 소

2. 모음과 자음 연습 ─2 | 1) 모음 연습 2_(4)번 | 23쪽

① 야   ② 요   ③ 얘   ④ 와
⑤ 웨   ⑥ 워   ⑦ 왜   ⑧ 유
⑨ 위   ⑩ 의

2. 모음과 자음 연습 ─2 | 2) 자음 연습 2_(4)번 | 25쪽

① 카   ② 터   ③ 보   ④ 추
⑤ 쌔   ⑥ 그   ⑦ 띠   ⑧ 패

| 4. 한글 쓰기 | (1)번 | 27쪽 |

① 꽃 꽃 ② ㅇㅗㅅ 옷 ③ ㄱ족 가족

II. 한글 연습

| 1. 한글 연습 1 | (1)번 | 28쪽 |

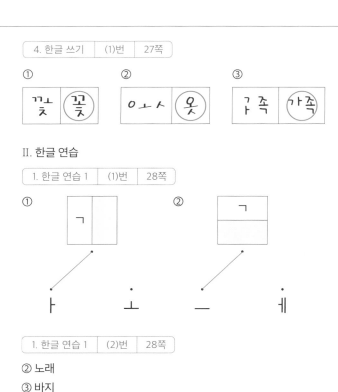

① ㄱ — ㅏ ㅗ
② ㄱ — ㅡ ㅔ

| 1. 한글 연습 1 | (2)번 | 28쪽 |

② 노래
③ 바지
④ 어머니

| 2. 한글 연습 2 | (1)번 | 29쪽 |

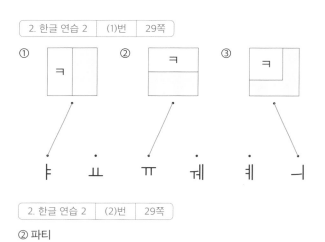

① ㅋ — ㅑ ㅛ
② ㅋ — ㅠ ㅖ
③ ㅋ — ㅒ ㅢ

| 2. 한글 연습 2 | (2)번 | 29쪽 |

② 파티
③ 토끼
④ 기차표

| 3. 한글 연습 3 | (2)번 | 30쪽 |

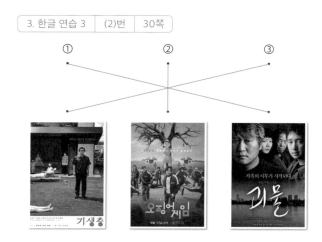
① ② ③
기생충 오징어 게임 괴물

| 어휘와 표현 | 3번 | 37쪽 |

1) 학생
2) 베트남 사람
3) 요리사
4) [예시]
   아니요. 케냐 사람이에요. / 네. 의사예요.

| 문법 1 | 1번 | 38쪽 |

1) 한복이에요   2) 커피예요
3) 동생이에요   4) 미국 사람이에요

| 문법 1 | 2번 | 38쪽 |

[예시]
가: 누구예요?
나: 동생이에요.
가: 한국 사람이에요?
나: 네. 한국 사람이에요.

| 문법 2 | 1번 | 39쪽 |

1) 저는 회사원이에요
2) 동생은 선생님이에요
3) 어머니는 의사예요
4) 형은 가수예요

| 문법 2 | 2번 | 39쪽 |

2) [예시]
   이 사람은 유진 씨예요.
   유진 씨는 제 친구예요.
   유진 씨는 대학생이에요.

| 활동 1 | 1번 | 40쪽 |

1) ① 안나   ② 주노
2) ① 학생   ② 회사원

| 활동 1 | 2번 | 40쪽 |

2) 가: 안녕하세요? 저는 마리예요. 회사원이에요.
   나: 안녕하세요? 저는 박지윤이에요. 선생님이에요.
3) 가: 안녕하세요? 저는 김진우예요. 경찰이에요.
   나: 안녕하세요? 저는 웨이예요. 요리사예요.
4) [예시]
   가: 안녕하세요? 저는 주노예요. 회사원이에요.
   나: 안녕하세요? 저는 유나예요. 가수예요.

활동 2 | 1번 | 41쪽

1) 웨이   유나

2)  요리사   가수

활동 2 | 2번 | 41쪽

[예시]
안녕하세요?
저는 마리예요.
저는 일본 사람이에요.
회사원이에요.

02 ✏️ 전화번호가 뭐예요?

어휘와 표현 | 2번 | 45쪽

2) 오   3) 삼십오
4) 삼   5) 이백이
6) 팔백

어휘와 표현 | 3번 | 45쪽

1) 삼백사십   2) 십이
3) 구백오십   4) 팔백일

문법 1 | 1번 | 46쪽

1) 가: 유진 씨가 누구예요?
　 나: 제가 유진이에요.
2) 가: 주노 씨 동생이 누구예요?
　 나: 제가 주노 씨 동생이에요.
3) 가: 마리 씨 친구가 누구예요?
　 나: 제가 마리 씨 친구예요.
4) 가: 요리사가 누구예요?
　 나: 제가 요리사예요.

문법 1 | 2번 | 46쪽

[예시 1]
가: 노래방이 어디예요?
나: 3층이에요.

[예시 2]
가: 영화관이 어디예요?
나: 2층이에요.

문법 2 | 1번 | 47쪽

1) 선생님이 아니에요
2) 컴퓨터가 아니에요
3) 8층이 아니에요
4) 남자 친구가 아니에요

문법 2 | 2번 | 47쪽

아니요. 의자가 아니에요. 모자예요.

[예시]
가: 책상이에요?
나: 아니요. 책상이 아니에요. 의자예요.

활동 1 | 1번 | 48쪽

1) 전화번호 이야기를 해요.
2) 010-1359-6783

활동 1 | 2번 | 48쪽

2) 가: 유진 씨, 전화번호가 뭐예요?
　 나: 010-1562-9122예요.
　 가: 010-1562-9122, 맞아요?
　 나: 네. 맞아요.

　 가: 유진 씨, 전화번호가 뭐예요?
　 나: 010-1562-9122예요.
　 가: 010-1562-9121, 맞아요?
　 나: 9121이 아니에요. 9122예요.

3) 가: 마리 씨, 전화번호가 뭐예요?
　 나: 010-1214-7406이에요.
　 가: 010-1214-7406, 맞아요?
　 나: 네. 맞아요.

　 가: 마리 씨, 전화번호가 뭐예요?
　 나: 010-1214-7406이에요.
　 가: 010-1214-7407, 맞아요?
　 나: 7407이 아니에요. 7406이에요.

4) [예시]
　 가: 재민 씨, 전화번호가 뭐예요?
　 나: 010-1213-7505예요.
　 가: 010-1213-7505, 맞아요?
　 나: 네. 맞아요.

　 가: 재민 씨, 전화번호가 뭐예요?
　 나: 010-1213-7505예요.
　 가: 010-1213-7565, 맞아요?
　 나: 7565가 아니에요. 7505예요.

활동 2 | 1번 | 49쪽

1) 한국 카페 전화번호는 02-1512-8943이에요.
2) 세종학당 전화번호는 02-3276-0700이에요.

활동 2 | 2번 | 49쪽

[예시]

	이름	전화번호	이메일 주소
1)	안나	010-1359-6783	annaanna@sjmail.com

03 ✎ 제 가방은 책상 옆에 있어요

어휘와 표현 | 3번 | 53쪽

1) 책상 옆 / 책상 왼쪽   2) 가방 안
3) 책상 옆 / 유진 씨 옆   4) 유진 씨 앞

문법 1 | 1번 | 54쪽

1) 저   2) 저   3) 이   4) 이

문법 1 | 2번 | 54쪽

1) 저 책   2) 이 시계
3) 그 핸드폰   4) 그 필통

문법 2 | 1번 | 55쪽

1) 가: 컴퓨터가 교실에 있어요?
   나: 네. 컴퓨터가 교실에 있어요.
2) 가: 가방이 교실에 있어요?
   나: 아니요. 가방이 교실에 없어요.
3) 가: 시계가 교실에 있어요?
   나: 네. 시계가 교실에 있어요.
4) 가: 유진 씨가 교실에 있어요?
   나: 아니요. 유진 씨가 교실에 없어요.

문법 2 | 2번 | 55쪽

1) 칠판 위   2) 의자 옆
3) 가방 안   4) 칠판 옆

활동 1 | 1번 | 56쪽

1) 이 가방은 마리 씨 가방이에요.
2) 유진 씨 가방은 책상 옆에 있어요.

활동 1 | 2번 | 56쪽

2) 가: 이 펜이 안나 씨 펜이에요?

나: 아니요. 제 펜은 필통 안에 있어요.
가: 그럼 누구 펜이에요?
나: 그 펜은 주노 씨 펜이에요.

3) 가: 이 우산이 재민 씨 우산이에요?
   나: 아니요. 제 우산은 의자 옆에 있어요.
   가: 그럼 누구 우산이에요?
   나: 그 우산은 수지 씨 우산이에요.

4) [예시]
   가: 이 가방이 주노 씨 가방이에요?
   나: 아니요. 제 가방은 책상 위에 있어요.
   가: 그럼 누구 가방이에요?
   나: 그 가방은 안나 씨 가방이에요.

활동 2 | 1번 | 57쪽

1) 침대 옆에 책상이 있어요.
2) 책상 위에 컴퓨터가 있어요.

활동 2 | 2번 | 57쪽

[예시]

제 방이에요. 책상이 있어요. 책상 앞에 침대가 있어요. 책상 위에 책이 있어요. 컴퓨터는 없어요.

04 ✎ 한국어를 공부해요

어휘와 표현 | 2번 | 61쪽

2) 봐요
3) 만나요
4) 공부해요

어휘와 표현 | 3번 | 61쪽

1) 가: 무엇을 해요?
   나: 요리해요.
2) 가: 무엇을 해요?
   나: 마셔요.
3) 가: 무엇을 해요?
   나: 봐요.
4) 가: 무엇을 해요?
   나: 먹어요.
5) 가: 무엇을 해요?
   나: 자요.
6) 가: 무엇을 해요?
   나: 들어요.

1) 읽어요 2) 봐요
3) 공부해요 4) 자요

문법 1 | 2번 | 62쪽

1) 가: 오늘 무엇을 해요?
　 나: 요리해요.
2) 가: 오늘 무엇을 해요?
　 나: 공부해요.
3) 가: 오늘 무엇을 해요?
　 나: 커피 마셔요.
4) 가: 오늘 무엇을 해요?
　 나: 친구 만나요.
5) 가: 오늘 무엇을 해요?
　 나: 음악 들어요.
6) [예시]
　 가: 오늘 무엇을 해요?
　 나: 일해요.

문법 2 | 1번 | 63쪽

1) 가: 무엇을 좋아해요?
　 나: 고양이를 좋아해요.
2) 가: 무엇을 좋아해요?
　 나: 음악을 좋아해요.
3) 가: 무엇을 좋아해요?
　 나: 게임을 좋아해요.
4) 가: 무엇을 좋아해요?
　 나: 쇼핑을 좋아해요.
5) 가: 무엇을 좋아해요?
　 나: 김치를 좋아해요.
6) 가: 무엇을 좋아해요?
　 나: 불고기를 좋아해요.

문법 2 | 2번 | 63쪽

1) 가: 지금 무엇을 해요?
　 나: 영화를 봐요
2) 가: 지금 음악을 들어요?
　 나: 네. 음악을 들어요
3) 가: 오늘 일해요?
　 나: 아니요. 친구를 만나요
4) [예시]
　 가: 지금 무엇을 해요?
　 나: 커피를 마셔요

활동 1 | 1번 | 64쪽

1) 마리 씨는 오늘 한국어를 공부해요.
2) 재민 씨는 친구를 만나요.

활동 1 | 2번 | 64쪽

2) 가: 재민 씨, 오늘 뭐 해요?
　 나: 저는 친구를 만나요. 수지 씨는 오늘 뭐 해요?
　 가: 저는 책을 읽어요.
3) 가: 유진 씨, 오늘 뭐 해요?
　 나: 저는 게임을 해요. 마리 씨는 오늘 뭐 해요?
　 가: 저는 일해요.
4) [예시]
　 가: 주노 씨, 오늘 뭐 해요?
　 나: 저는 한국어를 공부해요.
　　 안나 씨는 오늘 뭐 해요?
　 가: 저는 요리해요.

활동 2 | 1번 | 65쪽

1) 안나 씨는 집에 있어요.
2) 유진 씨는 지금 운동해요.

활동 2 | 2번 | 65쪽

[예시]
　 저는 오늘 친구를 만나요. 피자를 먹어요. 커피를 마셔요. 영화를 봐요.

05 ✎ 빵하고 우유를 사요

어휘와 표현 | 3번 | 69쪽

1) 식당, 라면 2) 카페, 커피
3) 공원, 과자 4) 마트, 우유

문법 1 | 1번 | 70쪽

1) 공원 2) 집
3) 마트 4) 세종학당

문법 1 | 2번 | 70쪽

1) 가: 어디에 가요?
　 나: 공원에 가요.
　 가: 뭐 해요?
　 나: 운동해요.
2) 가: 어디에 가요?
　 나: 집에 가요.
　 가: 뭐 해요?

나: 텔레비전을 봐요.
3) 가: 어디에 가요?
　　나: 카페에 가요.
　　가: 뭐 해요?
　　나: 친구를 만나요.
4) 가: 어디에 가요?
　　나: 마트에 가요.
　　가: 뭐 해요?
　　나: 사과를 사요.

문법 2　1번　71쪽

1) 케이크하고 빵
2) 우유하고 차
3) 영화관하고 카페
4) 선생님하고 수지

문법 2　2번　71쪽

[예시 1]
가: 교실에 무엇이 있어요?
나: 책상하고 의자가 있어요.

[예시 2]
가: 교실에 누가 있어요?
나: 주노 씨하고 마리 씨가 있어요.

활동 1　1번　72쪽

1) 주노 씨는 마트에 가요.
2) 주노 씨는 빵하고 우유를 사요.

활동 1　2번　72쪽

2) 가: 어디에 가요?
　　나: 백화점에 가요.
　　가: 뭘 사요?
　　나: 옷하고 신발을 사요.
3) 가: 어디에 가요?
　　나: 학교에 가요.
　　가: 뭘 공부해요?
　　나: 한국어하고 영어를 공부해요.
4) [예시]
　　가: 어디에 가요?
　　나: 마트에 가요.
　　가: 뭘 사요?
　　나: 과일하고 라면을 사요.

활동 2　1번　73쪽

1) 수지 씨는 신발하고 옷을 사요.
2) 유진 씨는 화장품하고 가방을 사요.

활동 2　2번　73쪽

[예시]
저는 백화점에 가요. 가방하고 구두를 사요. / 신발하고 화장품을 사요.

06 ✏️ 사과 다섯 개 주세요

어휘와 표현　2번　77쪽

1) 세 개
2) 여섯 개
3) 여덟 개
4) 열두 개

어휘와 표현　3번　77쪽

1) 네
2) 두
3) 다섯
4) 아홉

문법 1　1번　78쪽

1) 잔 / 잔
2) 권 / 권
3) 병 / 병
4) 마리 / 마리

문법 1　2번　78쪽

[예시]
2) 가: 책상이 몇 개 있어요?
　　나: 책상이 열 개 있어요.
3) 가: 의자가 몇 개 있어요?
　　나: 의자가 다섯 개 있어요.
4) 가: 시계가 몇 개 있어요?
　　나: 시계가 한 개 있어요.

문법 2·　1번　79쪽

1) 들으세요.
2) 대답하세요.
3) 책을 펴세요.
4) 쓰세요.

문법 2　2번　79쪽

1) 읽으세요
2) 주세요
3) 오세요
4) 타세요

활동 1　1번　80쪽

1) 안나 씨는 사과를 사요.
2) 사과는 모두 만 원이에요.

활동 1　2번　80쪽

2) 가: 어서 오세요.
　　나: 바나나 다섯 개 주세요. 얼마예요?
　　가: 삼천 원이에요.

3) 가: 어서 오세요.

　나: 아이스크림 한 개 주세요. 얼마예요?

　가: 천이백 원이에요.

4) [예시]

　가: 어서 오세요.

　나: 사과 세 개 주세요. 얼마예요?

　가: 삼천구백 원이에요.

　활동 2 ｜ 1번 ｜ 81쪽

1) 유진 씨는 치약 두 개하고 칫솔 다섯 개하고 아이스크림 한 개를 사요.

2) 모두 만 오천육백 원이에요.

　활동 2 ｜ 2번 ｜ 81쪽

[예시]

　저는 편의점에 가요. 빵 두 개하고 물 한 병을 사요. 그리고 라면 다섯 개하고 주스 두 병을 사요. 모두 만 천 원이에요.

07 일곱 시에 시작해요

　어휘와 표현 ｜ 2번 ｜ 85쪽

일요일 / 화요일 / 목요일 / 토요일

　어휘와 표현 ｜ 3번 ｜ 85쪽

2) 가: 안나 씨, 생일이 언제예요?

　나: 일월 십육일이에요.

3) 가: 재민 씨, 생일이 언제예요?

　나: 유월 이십이일이에요.

4) [예시]

　가: 진호 씨, 생일이 언제예요?

　나: 십이월 삼십일일이에요.

　문법 1 ｜ 1번 ｜ 86쪽

1) 팔월 오일에　　　　　2) 시월 십삼일에

3) 토요일에　　　　　　4) 일요일에

　문법 1 ｜ 2번 ｜ 86쪽

2) [예시]

　가: 안나 씨는 화요일에 뭐 해요?

　나: 친구 집에 가요. 수지 씨는 화요일에 뭐 해요?

　가: 운동을 해요.

3) [예시]

　가: 안나 씨는 수요일에 뭐 해요?

　나: 쇼핑해요. 수지 씨는 수요일에 뭐 해요?

가: 아르바이트를 해요.

4) 가: 안나 씨는 목요일에 뭐 해요?

　나: 세종학당에 가요. 수지 씨는 목요일에 뭐 해요?

　가: 영화를 봐요.

5) 가: 안나 씨는 금요일에 뭐 해요?

　나: 영화를 봐요. 수지 씨는 금요일에 뭐 해요?

　가: 수영을 해요.

　문법 2 ｜ 1번 ｜ 87쪽

1) 열두 시　　　　　　　2) 두 시 이십 분

3) 여섯 시 십오 분　　　4) 여덟 시

　문법 2 ｜ 2번 ｜ 87쪽

2) [예시]

　가: 유진 씨, 오늘 오후에 뭐 해요?

　나: 친구를 만나요.

　가: 몇 시에 만나요?

　나: 두 시에 만나요.

　활동 1 ｜ 1번 ｜ 88쪽

1) 안나 씨는 목요일에 세종학당에 가요.

2) 세종학당 수업은 저녁 일곱 시에 있어요.

　활동 1 ｜ 2번 ｜ 88쪽

2) 가: 안나 씨, 언제 요리를 배워요?

　나: 목요일에 배워요.

　가: 몇 시에 배워요?

　나: 저녁 일곱 시에 배워요.

3) 가: 안나 씨, 언제 여행을 가요?

　나: 토요일에 가요.

　가: 몇 시에 가요?

　나: 아침 아홉 시에 가요.

4) [예시]

　가: 안나 씨, 언제 운동을 해요?

　나: 화요일에 해요.

　가: 몇 시에 해요?

　나: 저녁 여덟 시에 해요.

　활동 2 ｜ 1번 ｜ 89쪽

1) 주노 씨는 여덟 시에 회사에 가요.

2) 주노 씨는 저녁 일곱 시에 친구 생일 파티에 가요.

　활동 2 ｜ 2번 ｜ 89쪽

[예시]

　저는 대학교에 다녀요. 매일 아침 일곱 시에 일어나요. 여덟 시에 아침을 먹어요. 아홉 시에 수업이 있어요. 열두 시 삼십 분에 점심을 먹어요. 오늘은 오후에 아르바이트가 있어요. 저녁 일곱 시에 친구를 만나요. 친구하고 같이 영화를 봐요. 열 시에 집에 와요.

 08 날씨가 더워요?

어휘와 표현 | 2번 | 93쪽

1) 봄　　2) 여름　　3) 가을　　4) 겨울

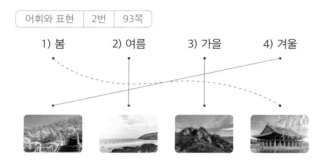

어휘와 표현 | 3번 | 93쪽

1) 가: 이번 주말에 날씨가 어때요?
　　나: 비가 와요. 바람이 불어요.
2) 가: 이번 주말에 날씨가 어때요?
　　나: 눈이 와요. 추워요.

문법 1 | 1번 | 94쪽

1) 안 봐요　　　　　2) 안 가요
3) 안 바빠요　　　　4) 쇼핑 안 해요

문법 1 | 2번 | 94쪽

2) 가: 바나나를 사요?
　　나: 아니요. 안 사요. 딸기를 사요.
3) 가: 날씨가 좋아요?
　　나: 아니요. 안 좋아요. 날씨가 흐려요.
4) [예시]
　　가: 커피를 마셔요?
　　나: 아니요. 안 마셔요. 주스를 마셔요.

문법 2 | 1번 | 95쪽

1) 추워요　　　　　2) 쉬워요
3) 매워요　　　　　4) 무거워요

문법 2 | 2번 | 95쪽

2) 고향 날씨가 추워요.
3) 의자가 무거워요.
4) [예시]
　　요리가 어려워요.

활동 1 | 1번 | 96쪽

1) 민호 씨는 지금 부산에 있어요. 부산은 날씨가 안 더워요. 요즘 비가 자주 와요.
2) 서울은 정말 더워요.

활동 1 | 2번 | 96쪽

2) 가: 하노이는 날씨가 추워요?
　　나: 아니요. 여기는 안 추워요. 요즘 날씨가 더워요. 시드니는 어때요?
　　가: 여기는 좀 추워요. 눈이 와요.
3) 가: 모스크바는 날씨가 더워요?
　　나: 아니요. 여기는 안 더워요. 요즘 날씨가 시원해요. 자카르타는 어때요?
　　가: 여기는 많이 더워요. 그리고 비가 와요.
4) [예시]
　　가: 파리 날씨는 추워요?
　　나: 아니요. 여기는 안 추워요. 요즘 날씨가 따뜻해요. 뉴욕은 어때요?
　　가: 여기는 쌀쌀해요. 그리고 바람이 많이 불어요.

활동 2 | 1번 | 97쪽

1) 여름: 더워요.
　　가을: 시원해요.
　　겨울: 많이 안 추워요.
2) 제주도는 지금 가을이에요.

활동 2 | 2번 | 97쪽

[예시]
　　제 고향은 도쿄예요. 봄은 아주 따뜻해요. 꽃이 예뻐요. 여름은 더워요. 그리고 비가 많이 와요. 가을은 시원해요. 그리고 단풍이 아주 아름다워요. 겨울은 많이 안 추워요. 그렇지만 바람이 조금 불어요. 도쿄는 지금 봄이에요. 꽃이 정말 예뻐요.

 09 공원에서 산책했어요

어휘와 표현 | 3번 | 101쪽

[예시 1]
가: 주말에 뭐 해요?
나: 수영장에 가요. 수영을 해요.

[예시 2]
가: 주말에 뭐 해요?
나: 백화점에 가요. 쇼핑을 해요.

문법 1 | 1번 | 102쪽

1) 가: 오후에 뭐 해요?

　나: 공원에서 자전거를 타요.

2) 가: 오후에 뭐 해요?

　나: 식당에서 밥을 먹어요.

3) 가: 오후에 뭐 해요?

　나: 카페에서 친구를 만나요.

4) 가: 오후에 뭐 해요?

　나: 집에서 텔레비전을 봐요.

문법 1 | 2번 | 102쪽

2) 가: 주말에 어디에 가요?

　나: 백화점에 가요.

　가: 백화점에서 뭐 해요?

　나: 쇼핑을 해요.

3) 가: 주말에 어디에 가요?

　나: 카페에 가요.

　가: 카페에서 뭐 해요?

　나: 친구를 만나요.

4) [예시]

　가: 주말에 어디에 가요?

　나: 영화관에 가요.

　가: 영화관에서 뭐 해요?

　나: 영화를 봐요.

문법 2 | 1번 | 103쪽

1) 쉬었어요　　　　　2) 만들었어요

3) 만났어요　　　　　4) 더웠어요

문법 2 | 2번 | 103쪽

2) 가: 토요일에 뭐 했어요?

　나: 집에서 쉬었어요. 아주 좋았어요.

3) 가: 토요일에 뭐 했어요?

　나: 식당에서 불고기를 먹었어요. 아주 맛있었어요.

4) [예시]

　가: 토요일에 뭐 했어요?

　나: 도서관에서 책을 읽었어요. 아주 재미있었어요.

활동 1 | 1번 | 104쪽

1) 안나 씨는 친구하고 공원에서 산책했어요.

2) 주노 씨는 집에서 영화 〈사랑〉을 봤어요.

활동 1 | 2번 | 104쪽

2) 가: 마리 씨, 일요일에 뭐 했어요?

　나: 집에서 쉬었어요. 유진 씨는요?

　가: 친구를 만났어요. 친구하고 등산을 했어요.

3) 가: 수지 씨, 일요일에 뭐 했어요?

　나: 친구를 만났어요. 재민 씨는요?

　가: 박물관에 갔어요. 박물관에서 구경했어요.

4) [예시]

　가: 안나 씨, 일요일에 뭐 했어요?

　나: 수영장에서 수영했어요. 주노 씨는요?

　가: 영화관에 갔어요. 친구하고 영화를 봤어요.

활동 2 | 1번 | 105쪽

1) 유진 씨는 토요일에 친구를 만났어요.

2) 유진 씨는 일요일에 세종학당 친구를 만났어요.

활동 2 | 2번 | 105쪽

[예시]

　토요일에 친구를 만났어요. 고향 친구하고 수영장에 갔어요. 같이 수영을 했어요. 아주 재미있었어요. 일요일에는 날씨가 따뜻했어요. 세종학당 친구하고 공원에서 산책했어요. 꽃이 예뻤어요.

10 우리 같이 놀이공원에 갈까요?

어휘와 표현 | 2번 | 109쪽

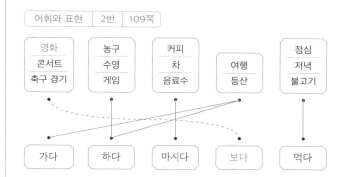

[예시]

• 친구하고 커피를 마셔요.

• 유진 씨하고 농구를 해요.

• 마리 씨하고 점심을 먹어요.

어휘와 표현 | 3번 | 109쪽

2) 가: 유진 씨, 이번 주말에 약속이 있어요?

　나: 네. 있어요. 반 친구하고 한강공원에 가요.

3) 가: 안나 씨, 이번 주말에 약속이 있어요?

　나: 네. 있어요. 동생하고 등산을 가요.

4) [예시]

　가: 마리 씨, 이번 주말에 약속이 있어요?

　나: 네. 있어요. 친구하고 콘서트를 봐요.

문법 1 | 1번 | 110쪽

1) 한국에 가고 싶어요
2) 비빔밥을 먹고 싶어요
3) 낚시를 하고 싶어 해요
4) 여행을 가고 싶어 해요

문법 1 | 2번 | 110쪽

[예시]
1) 저는 주말에 부산에 가고 싶어요. / 친구는 주말에 한강에 가고 싶어 해요.
2) 저는 주말에 수영을 하고 싶어요. / 친구는 주말에 운동을 하고 싶어 해요.
3) 저는 주말에 친구를 만나고 싶어요. / 친구는 주말에 동생을 만나고 싶어 해요.
4) 저는 주말에 한국 음식을 먹고 싶어요. / 친구는 주말에 피자를 먹고 싶어 해요.

문법 2 | 1번 | 111쪽

1) 앉을까요
2) 할까요
3) 볼까요
4) 산책할까요

문법 2 | 2번 | 111쪽

2) 가: 유진 씨, 오후에 뭐 해요?
   나: 공원에 가요.
   가: 그래요? 저도 공원에 가고 싶어요.
   나: 그럼 같이 공원에 갈까요?
3) 가: 수지 씨, 오후에 뭐 해요?
   나: 쇼핑몰에 가요.
   가: 그래요? 저도 쇼핑몰에 가고 싶어요.
   나: 그럼 같이 쇼핑몰에 갈까요?
4) 가: 안나 씨, 오후에 뭐 해요?
   나: 도서관에 가요.
   가: 그래요? 저도 도서관에 가고 싶어요.
   나: 그럼 같이 도서관에 갈까요?
5) 가: 주노 씨, 오후에 뭐 해요?
   나: 수영장에 가요.
   가: 그래요? 저도 수영장에 가고 싶어요.
   나: 그럼 같이 수영장에 갈까요?
6) [예시]
   가: 웨이 씨, 오후에 뭐 해요?
   나: 박물관에 가요.
   가: 그래요? 저도 박물관에 가고 싶어요.
   나: 그럼 같이 박물관에 갈까요?

활동 1 | 1번 | 112쪽

1) 두 사람은 놀이공원에 가요.
2) 약속 시간: 두 시 / 약속 장소: 놀이공원 앞

활동 1 | 2번 | 112쪽

2) 가: 오늘 저녁에 수영을 할까요?
   나: 좋아요. 저도 수영을 하고 싶어요.
   가: 그럼 몇 시에 만날까요?
   나: 일곱 시가 어때요?
   가: 그래요. 수영장 앞에서 만날까요?
   나: 네. 좋아요.
3) 가: 이번 주 금요일에 같이 공부할까요?
   나: 좋아요. 저도 같이 공부하고 싶어요.
   가: 그럼 몇 시에 만날까요?
   나: 한 시 삼십 분이 어때요?
   가: 그래요. 도서관 앞에서 만날까요?
   나: 네. 좋아요.
4) [예시]
   가: 이번 토요일 오후에 운동을 할까요?
   나: 좋아요. 저도 운동을 하고 싶어요.
   가: 그럼 몇 시에 만날까요?
   나: 세 시가 어때요?
   가: 그래요. 공원 앞에서 만날까요?
   나: 네. 좋아요.

활동 2 | 1번 | 113쪽

1) 두 사람은 케이팝 콘서트를 봐요.
2) 콘서트는 토요일 저녁 일곱 시에 세종공원에서 해요.

활동 2 | 2번 | 113쪽

[예시]
유진 씨, 다음 주 일요일 오후에 시간이 있어요?
우리 같이 한국 영화를 볼까요?
영화는 일요일 오후 3시, 세종영화관에서 해요. 어때요?

어휘와 표현 색인

1A

자료
출처
──
1A

※ 이 교재는 산돌폰트 외 Ryu 고운한글돋움OTF, Ryu 고운한글바탕 OTF 등을 사용하여 제작되었습니다. Ryu 고운한글돋움OTF, Ryu 고운한글바탕OTF 서체는 서체 디자이너 류양희 님에게서 제공 받았습니다.

※ 강승희, 곽명주, 박가을, 이재영, 정원교 작가와 함께 작업했습니다.

| 게티이미지코리아 |

입문 13쪽_(상, 좌로부터)①   2과 44쪽_(위로부터)①/④; 45쪽_2번 4), 3번 1); 47쪽_2번 (위로부터)③; 49쪽_1번 (좌로부터)②/③   3과 52쪽_(위로부터)①   4과 61쪽_1번 (상, 좌로부터)⑤; 62쪽_1번 2) 5과 68쪽_(위로부터)②; 69쪽_1번 (하, 좌로부터)③, 3번 4)좌; 70쪽_ 1번 3)   9과 101쪽_1번 (하, 좌로부터)①

| 셔터스톡 |

스피커 아이콘
말풍선
연필 아이콘

입문 12쪽; 13쪽; 14쪽; 15쪽; 19쪽; 21쪽; 23쪽; 25쪽; 28쪽; 29쪽; 32쪽; 33쪽_상, 하   1과 37쪽_1번 1)/2)좌/3)좌/4)/5)좌/6)좌/7) 좌/8)좌/9)/10)좌/11)좌, 2번 5)/7), 3번; 38쪽_상, 1번 (보기)/1)/ 2)/3), 2번; 39쪽_상, 1번 2)/3)/4), 2번; 41쪽; 42쪽   2과 43쪽; 44쪽_ (위로부터)⑤; 45쪽_2번 1)/2)/5)/6), 3번 (보기)/2)/3)/4); 46쪽_상우, 1번, 2번; 47쪽_상우, 1번, 2번 (위로부터)①/②; 48쪽_1번 우; 49쪽_ 1번 (좌로부터)①, 2번; 50쪽   3과 52쪽_(위로부터)②; 53쪽_1번; 54쪽_상, 1번 (보기)상; 55쪽_1번 (보기)/2)/3); 56쪽_2번; 57쪽_2번; 58쪽   4과 60쪽; 61쪽_1번 (상, 좌로부터)①/②/③/④, 하; 62쪽_상 우, 1번 (보기)/1)/3)/4), 2번; 63쪽_상좌, 1번, 2번 (보기); 65쪽; 66쪽   5과 68쪽_(위로부터)①/③; 69쪽_1번 상, (하, 좌로부터)①/②, 2번, 3번 (보기)/1)좌/2)좌/3)좌; 70쪽_1번 (보기)우/1/2), 2번; 71쪽_1번; 72쪽_1번, 2번 우; 73쪽; 74쪽   6과 76쪽; 77쪽_1번, 3번 (보기)/1)/2) 4); 78쪽_상; 79쪽_상, 2번 (보기); 80쪽_(더 알아봐요, 좌, 위로부터) ①/②/③/④; 81쪽_2번; 82쪽   7과 84쪽; 85쪽; 86쪽; 87쪽; 89쪽_ 2번; 90쪽   8과 92쪽; 93쪽_1번 상, 2번, 3번 (보기); 94쪽_상우; 95쪽_상좌, 1번 1)/2)/4); 96쪽_2번; 97쪽; 98쪽   9과 101쪽_1번 상, (하, 좌로부터)②/③/④, 3번; 102쪽_상좌, 2번; 103쪽_상, 1번 3), 2번; 104쪽_2번 1)/2)/3)우; 105쪽; 106쪽   10과 108쪽; 109쪽_2번; 110쪽_상, 1번; 111쪽; 112쪽_1번 2); 113쪽; 114쪽   부록 115쪽

| 기타 |

입문 13쪽_훈민정음 (문화재청 제공)
　　　13쪽_가수 NCT127 (SM엔터테인먼트 제공)
　　　30쪽_〈오징어 게임〉 포스터 (넷플릭스 제공)
　　　30쪽_〈괴물〉 포스터 (영화사 청어람 제공)
입문 30쪽, 4과 63쪽_〈기생충〉 포스터 (CJENM 제공)
2과 49쪽, 5과 70쪽_세종학당 로고 (세종학당재단 제공)
3과 52쪽_미국 거점 세종학당 교실 사진 (세종학당재단 제공)

세종한국어 1A

기획	국립국어원	박미영 학예연구사
	국립국어원	조 은 학예연구사
집필	책임 집필	이정희 경희대학교 국제교육원 교수
	공동 집필	장미정 고려대학교 교양교육원 조교수
		김은애 서울대학교 언어교육원 대우교수
		천민지 한양대학교 국제교육원 교육전담교수
		김지혜 경희대학교 국제교육원 한국어 강사
		윤세윤 경희대학교 국제교육원 객원교수
	집필 보조	문진숙 경희대학교 국어국문학과 박사수료
		한재민 경희대학교 국어국문학과 박사수료
		정성호 경희대학교 국어국문학과 박사수료
		서유리 경희대학교 국어국문학과 박사과정

발행	국립국어원
	주소: (07511) 서울특별시 강서구 금낭화로 154
	전화: +82(0)2-2669-9775
	전송: +82(0)2-2669-9727
	누리집: www.korean.go.kr
	초판 1쇄 발행 2022년 9월 1일
	초판 9쇄 발행 2024년 9월 2일

편집·제작	공앤박 주식회사
	주소: (05116) 서울특별시 광진구 광나루로56길 85, 프라임센터 3411호
	전화: +82(0)2-565-1531
	전송: +82(0)2-6499-1801
	누리집: www.kongnpark.com / www.BooksOnKorea.com (구매)
	총괄	공경용
	편집	이유진, 김세훈, 이진덕, 여인영, 김령희, 성수정, 최은정, 함소연
	영문 편집	Sung A. Jung, Paulina Zolta, Kassandra Lefrancois-Brossard
	디자인	오진경, 서은아, 이종우, 이승희
	삽화	강승희, 곽명주, 박가을, 이재영, 정원교
	관리·제작	공일석, 최진호
	IT 자료	손대철
	마케팅	윤성호

ISBN 978-89-97134-22-9 (14710)

ISBN 978-89-97134-21-2 (세트)

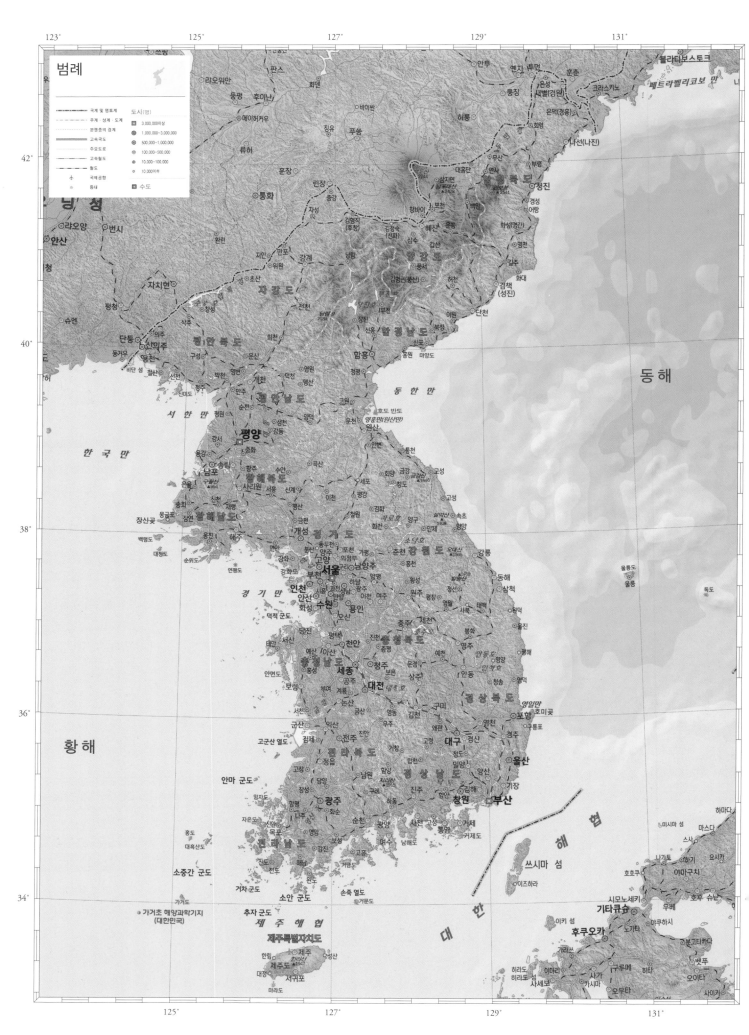